von Weisen und Narren

Kurt Reiter

National Textbook Company
a division of *NTC Publishing Group* • Lincolnwood, Illinois USA

1992 Printing

Published by National Textbook Company, a division of NTC Publishing Group.

Manufactured in the United States of America.

1 2 3 4 5 6 7 8 9 0 ML 9 8 7 6 5 4

above von weisen und narren 2258.5

Introduction

The rich and colorful characters that have made German Folklore world famous can also help to make German grammar review and practice a pleasant task for intermediate-level students. The folktales in *Von Weisen und Narren* were chosen to be read with ease and pleasure. The language of the stories has been kept simple, and new vocabulary introduced only when necessary.

As a further comprehension aid, this book refers students to short grammar explanations at the back of the book for structures beyond the elementary level. Side-glossed vocabulary and and end-vocabulary list also facilitate comprehension. The self-contained grammar notes and vocabulary list allow students to read the stories without the aid of a grammar book.

Background notes describe in English the origins of each tale, and the varied ways it has been retold in German art, music, and literature.

Comprehension may be tested in several ways. Students may ask one another questions in German or English concerning the plots of the stories, or they may divide up into teams for a question-and-answer competition. They can also participate in extemporaneous *Wiederzählungen,* or story retellings. These will help students to develop a larger working vocabulary, as well as confidence in speaking German. In addition, the tales easily lend themselves to dramatization in class. Students may simply act out a story as it is told, or make up their own scripts with new lines of dialogue.

Other books published by National Textbook Company acquaint students with famous heroes and villains in German legends and fairy tales. These include *Wilhelm Tell Heute, Von Helden und Schelmen,* and *Das Max und Moritz Buch.* For these and other German texts, consult the booklist at the end of this book.

Acknowledgments

The author acknowledges with gratitude the assistance of Volker Durr of the Northwestern University German Department, Mr. Robert Oglesby of the Waukegan High School German Department, and Mrs. Elisabeth Wienbeck for reading and reviewing the manuscript and grammar notes, and the staff of Skokie Public Library for helping to locate material.

Grateful acknowledgment is also extended the following for sending background information, pictures, and other relevant material: Mr. Walter Kollacks of Deutsch-Amerikanische National-Kongress (Chicago), Inter Nationes (Bad Godesberg), Archiv für Kunst und Geschichte (Berlin), Heidi Galer of the Iowa City High School German Department, Ursula von Krosigk of Ursula von Krosigk Buchhandlung (Berlin), Dietrich Lutze of Informationszentrum (Berlin), and Verkehrsamt Berlin for information on the Bremer Stadtmusikanten.

Contents

Die Schildbürger

In Deutschland gibt es eine Stadt Schilda and die Leute dieser Stadt heissen Schildbürger. Sie sind sehr klug, aber es geht ihnen schlecht, denn der König ruft die jungen Männer von Schilda immer wieder zu sich und sagt: „Ich weiss, dass[1] ihr Schildbürger sehr klug seid. Alle meine Städte brauchen° kluge Männer, und darum schicke ich Schildbürger überall hin[4]. Sie müssen den Bürgermeistern° meiner Städte ihren weisen Rat° geben."

brauchen to need

Bürgermeister mayor

Rat advice

Bald leben in der Stadt Schilda nur noch Kinder, Frauen und alte Männer. Der Bürgermeister der Stadt ist sehr böse und sagt: „Wir sind zu klug! Wir müssen alle dumm[20] werden. Dummheit[19] müssen wir die kleinen Jungen lehren, sodass[1] sie nicht mehr klug benehmen°. Dann holt der König sie nicht und die Schildbürger können in Schilda bleiben." Seit diesem Tag beginnen die Schildbürger dumm zu werden. Das können wir leicht in den folgenden Geschichten sehen.

sich benehmen to behave, act

Dreissig am Strand

Nicht weit von Schilda liegt ein See. Eines Tages baden dreissig Schildbürger in diesem See[20], denn es ist Sommer[20] und der Tag ist sehr heiss. Sie gehen zusammen aus dem Wasser und sitzen am Strand°. Plötzlich ruft einer: „Du Himmel°! Man kann im See ertrinken°! Vielleicht liegt jemand jetzt tot im Wasser. Wir müssen uns zählen!"

„Du hast recht°!" ruft ein anderer. „Wir müssen uns zählen. Vielleicht liegt einer von uns schon tot dort im Wasser." Ein Mann steht auf[3] und zählt: „Eins, zwei, drei usw." Er zählt nur neunundzwanzig Menschen. „Ach du Schreck°!" ruft er, „ich zähle nicht dreissig, sondern nur neunundzwanzig Menschen!" Alle fragen sich[10]: „Bin ich noch hier? Bin ich schon tot?"

Endlich sagt jemand: „Vielleicht zählt er falsch. Ich zähle noch einmal°." Er zählt aber auch nur neunundzwanzig Menschen. Da sind die Schildbürger sehr traurig. Einer sagt: „Wer ist hier und wer ist tot? Niemand weiss das. Was machen wir nun?"

Der Bürgermeister ist auch da. Er ist am klügsten[19] und sagt: „Ich habe eine Idee! Jeder steckt[6] bitte seine Nase in den Sand![20]" Er tut es, und alle anderen folgen ihm[14]. Alle liegen auf den Knieen[20] mit der Nase im Sand und dem Hinterteil° in der Höhe. „Nun steht auf[3]!" ruft der Bürgermeister, „ich zähle die Löcher° im Sand." Er zählt dreissig. Alle Bürger freuen[10] sich sehr darüber und rufen: „Hurra, hurra, ich bin hier! Ich bin nicht tot!" Dann gehen sie alle dreissig froh nach Hause. Aber jeder fragt sich: „Warum zählten[8] wir zuerst nur neunundzwanzig?" Kein Schildbürger weiss die Antwort.

Strand beach
Du Himmel! Good heavens!
ertrinken to drown
Du hast recht! You are right!
Ach du Schreck! Good grief!
noch einmal once again
Hinterteil rear end
Loch hole

Das neue Rathaus

Eines Tages bauen die Schildbürger ein neues Rathaus°. Sie tragen Steine, bauen Mauern° und decken das Dach°, aber sie vergessen die Fenster. Die Schildbürger sehen ihr Werk[20] und sagen: „Das ist ein schönes Rathaus. Morgen ist die erste Sitzung°. Wie herrlich! Eine Sitzung im neuen Rathaus."

Rathaus city hall
Mauer wall
Dach roof
Sitzung meeting

Am nächsten[20] Tag halten sie die erste Sitzung. Das Zimmer ist aber ganz dunkel. „Du Himmel, es ist dunkel!" ruft einer, „so dunkel wie in einem Sack[20]!" „Kein Wunder[20]," sagt der Bürgermeister, „denn das Zimmer braucht Sonnenlicht[20]. Wir müssen die Sonnenstrahlen° in Säcke füllen[20] und sie ins Zimmer bringen." Die Bürger gehen an[2] die Arbeit und beginnen, Sonnenstrahlen zu sammeln°. Sie öffnen[20] im Sonnenschein Säcke, warten, bis[1] sie voll mit Sonne sind und tragen sie in das Zimmer. Dort öffnen sie die Säcke und lassen die Sonnenstrahlen heraus[4]. Aber das Zimmer wird nicht heller.

Sonnenstrahl sun ray
sammeln to collect, gather

Plötzlich° merkt ein Mann, dass[1] das Rathaus nicht unter der Sonne steht. „Gott sei Lob und Dank°," ruft er, „ich habe die Antwort auf[2] unser Problem! Das Rathaus steht nicht unter der Sonne. Wir müssen es darunter[5] schieben°." Darauf holen die Bürger Erbsen° aus ihren Häusern und werfen sie um das Rathaus herum[4]. Als[1] viele Erbsen auf dem Boden liegen, gehen alle Männer auf[2] eine Seite des Rathauses und versuchen°, das Gebäude auf[2] den Erbsen zu rollen[20]. „Schiebt[6] mehr!" rufen sie. „Wir müssen es unter die Sonne rollen." Den ganzen Morgen schieben sie. Am Mittag steht das Rathaus endlich unter der Sonne, aber das Zimmer ist immer noch dunkel.

plötzlich suddenly
Gott sei Lob und Dank! Praise be to God!
schieben to shove
Erbse pea
versuchen to try

Endlich findet ein Bürger die Antwort. „Bestimmt," sagt er, „können die Sonnenstrahlen nicht die dicken Mauern durchdringen°. Die Antwort ist einfach. Wir müssen ein Loch in das Dach machen. Dann kann das

durchdringen to penetrate

Sonnenlicht ins Rathaus scheinen." Die Leute holen Hammer und Säge° und gehen auf das Dach hinauf[4]. Sie arbeiten, bis[1] ein Loch im Dach ist. Mehrere Bürger fallen[20] durch das Loch in das Zimmer hinein[4], aber glücklicherweise° tut sich[10] niemand weh.

Säge saw

glücklicherweise fortunately

Endlich ist das Zimmer hell. Die Bürger freuen[10] sich und halten[20] am späten Nachmittag die Sitzung. Aber nach einer Stunde wird es wieder dunkel, weil[1] viele dicke Wolken am Himmel stehen. Plötzlich beginnt es, stark zu regnen. Alle Bürger in der Sitzung werden natürlich[20] sehr nass°. Ob[1] sie endlich eine Antwort auf das Problem finden, weiss ich nicht.

nass wet

Die Heinzelmännchen

Die Heinzelmännchen sind sehr kleine, fleissige Männlein, die[11] jeder Faulpelz° besonders° liebt. Wenn[1] ein Mensch nicht länger[19] arbeiten will, kommen die Heinzelmännchen und tun die Arbeit für ihn. Sie backen[20] für den Bäcker[20], schneiden° für den Schneider°, sohlen[20] für den Schuhmacher[19] und tun manchmal auch etwas für die Hausfrau. Aber sie warten immer, bis die Leute schlafen. Niemand soll die kleinen Helfer[20] sehen. Wenn[1] jemand kommt, laufen sie schnell fort[3]. Wenn[1] der Faulpelz am Morgen erwacht°, ist seine Arbeit fertig, und er weiss: „Ach, die Heinzelmännchen waren[8] hier!" In alten Zeiten kamen[8] die Heinzelmännchen immer nach[2] Köln, denn es gab[8] da so viele faule Menschen, die[11] nicht arbeiten wollten[8]. Bis heute erzählen die Kölner Geschichten von den herrlichen Zeiten, als[1] noch die Heinzelmännchen in Köln alle Arbeit für sie taten[8]. Die folgende ist solch eine Geschichte.

Faulpelz lazybones
besonders especially

schneiden to cut
Schneider tailor

erwachen to awaken

Besuch beim Schneider

Eines Abends näht der Schneider an[2] einer Jacke, die[11] am nächsten Tag fertig sein soll. Weil[1] er müde ist, will er die Arbeit nicht mehr tun. Er lässt[20] sie einfach° liegen und geht zu Bett[20]. Als er schläft, kommen viele kleine Männlein[19] in das Arbeitszimmer. Drei von ihnen tragen die grosse Schere° herbei und schneiden damit[5]. Andere nähen. Sie arbeiten schwer, bis[1] die Jacke fertig ist und sind ganz ruhig dabei[5], damit[1] man nichts im Schlafzimmer des Schneiders hört. Als[1] die Sonne aufgeht, laufen sie fort.

einfach simply
Schere scissors

Am Morgen erwacht der Schneider und sieht die fertige Jacke. „Ach Himmel!" sagt er. „Die Jacke ist fertig! Die Heinzelmännchen waren[8] hier. Wie glücklich bin ich." „Ja," sagt seine Frau, „du bist sicher sehr glücklich. Vielleicht kommen die Heinzelmännchen auch heute nacht. Dann kann ich sie sehen." „Das darfst du nicht sagen!" ruft der Schneider. „Man darf die Heinzelmännchen nicht sehen, sonst° kommen sie nie wieder. Du darfst nicht auf[2] sie warten!"

sonst otherwise

Aber die Schneiders Frau denkt: „Heute arbeitet mein Mann an dem Rock des Bürgermeisters, und er wird[16] ihn in einem Tag sicher nicht beenden°. Wahrscheinlich kommen die Heinzelmännchen heute nacht zum Helfen[19]. Dann kann ich diese kleinen Männlein endlich sehen." Die Frau hat recht. Ihr Mann beendet die Arbeit an dem Rock nicht, lässt ihn liegen und geht ins Bett. Die Frau geht in das Arbeitszimmer und streut° Erbsen° auf den Fussboden. Dann wartet sie hinter der Tür auf[2] die Männlein.

beenden to finish, complete
streuen to scatter, strew
Erbse pea

Um[2] Mitternacht kommen die Heinzelmännchen. Sie stolpern° auf[2] den Erbsen, tun sich[10] weh° und schreien. Die Frau hört das und versucht°, die Männlein zu sehen. Aber sie sind alle fort. Seitdem kommen die Heinzelmännchen nie wieder nach Köln und nun muss jeder alles selber[20] tun.

stolpern to stumble
tun sich weh hurt themselves
versuchen to try

Kasperl

In einem alten Haus mitten[20] im Walde wohnt ein Holzschnitzer°, Meister[20] Emanuel. Er sitzt von früh bis spät an seinem Arbeitstisch[19] und schnitzt religiöse[20] Figuren[20] und Uhren. Eines Tages auf einem Spaziergang im Walde trifft er einen Jungen[13] von sieben oder acht Jahren in einer feuerroten Mütze° mit goldenen Klingeln° und einer lustigen bunten Jacke[20]. Dieser Junge mit dem grossen Mund und der langen Nase bleibt am Wege stehen und schneidet° komische Gesichter. „Wer bist du und woher kommst du?" fragt ihn Meister Emanuel. „Ich heisse Kasperl," antwortet der Junge. „Ich spiele für die Leute auf Marktplätzen. Ich habe[7] auch für Prinzen[20] gespielt. Aber das Wandern[20] liebe ich sehr und will nicht lange in einer Stadt bleiben." Weil[1] der Junge viel Hunger[20] hat, nimmt Meister Emanuel ihn mit[3] nach Hause. Kasperl bleibt bei dem Holzschnitzer und macht viele Streiche°, über die[11] alle Leute lachen müssen. Weil[1] er so lieb und lustig ist, fängt Meister Emanuel bald an°, nur Kasperl-Figuren und Kasperl-Puppen zu schnitzen. Diese werden sehr beliebt und viele Leute kaufen sie auch für die Puppentheater. Meister Emanuel lehrt seinen

Holzschnitzer wood carver

Mütze cap

Klingel bell

schneidet komische Gesichter makes funny faces

Streich trick, prank

anfangen to begin

Sohn das Kasperlschnitzen[19] und dieser lehrt es auch seinen Sohn und so weiter. Während[2] zwei Generationen[20] bleibt Kasperl immer so gross wie ein Junge von sieben oder acht Jahren und macht immer Streiche, obwohl[1] er ein gutes Herz hat. Er trägt immer seine feuerrote Mütze mit den goldenen Klingeln und seine lustige bunte Jacke.

Meister Friedolin, der Urenkel° des Meister Emanuels, wohnt in demselben° alten Haus und schnitzt Kasperlpuppen°. Er hat[7] aber Kasperl nicht einmal gesehen und weiss nicht, was ihm geschehen° ist. Er kann den Meister Emanuel nicht fragen, denn er ist schon seit[12] vielen Jahren tot. Meister Friedolin arbeitet täglich[19] an[2] den Holzfiguren[19], während[1] seine schöne Tochter Liebetraut und seine Frau Annettchen bunte Kleider und feuerrote Mützen für sie machen. Diese Figuren verkauft er dann an die Puppentheater[19], die sogennannten° Kasperl-Theater. An einem Nachmittag, als[1] Liebetraut ein Puppenspiel für die Kinder der nächsten Stadt aufführt°, sagt sie zu ihrem Vater: „Schade, dass[1] Kasperl nicht lebendig° ist." „Es gab[8] aber einmal einen lebendigen Kasperl," antwortet Meister Friedolin. „Er wohnte[8] bei meinem Grossvater und Urgrossvater hier in diesem Haus." „Aber wo ist er jetzt?" fragt Liebetraut ängstlich°. „Diese Antwort liegt mit meinem Grossvater im Grab[20]," antwortet Meister Friedolin. „Eines Tages erfahren° wir vielleicht etwas über[2] Kasperls Schicksal°."

Am nächsten Morgen geht Meister Friedolin in die Dachkammer°, um[9] ein Schnitzmesser zu holen. Er sucht danach[5] in den grossen alten hölzernen[19] Schränken° seines Urgrossvaters. Auf einmal sieht er einen Spalt° in einem Schrank. Er zieht an dem Spalt, und da geht plötzlich ein Türlein auf[3]. Im Dunkeln[19] sieht Meister Friedolin eine kleine Figur, die[11] er schnell herausholt[4]. Sie sieht wie ein sieben- oder achtjähriger Junge aus[3]. Plötzlich fängt die Figur an[3]

Urenkel great-grandson
in demselben in the same
Kasperlpuppen Kasperl puppets
was ihm geschehen ist what has happened to him
sogenannt so-called
aufführen to perform
lebendig living
ängstlich anxiously
erfahren to learn
Schicksal fate
Dachkammer attic
Schrank wardrobe
Spalt crack

zu niesen° und Meister Friedolin sagt erstaunt°: „Nein, so etwas°! Da ist ja wirklich der Kasperl!" Friedolins Frau und Liebetraut hören ihn rufen und sie laufen schnell zur Dachkammer hinauf[4]. „Kasperl!" ruft Liebetraut, „du bist es wirklich! Wie lange bist du schon[12] hier?" „Ich habe Hunger[19]," antwortet Kasperl, „weiter weiss ich nichts. Ach so schrecklichen Hunger!" Da fällt ein altes[20] Stück Papier[20] auf den Boden. Meister Friedolin liest es vor[3]: „Dies hier ist ein echtes° Kasperl. Er schläft jetzt, aber ich weiss nicht für wie lange, denn ein Kasperl kann viele Jahre lang schlafen. Wer ihn findet, soll gut auf[2] ihn aufpassen°, denn im Frühling will er immer in die Welt[20] hinaus[4] wandern. Passt[6] auf, dass[1] er dieses Haus nicht verlässt, denn in der Welt kann er viel Böses[19] erfahren." „Kannst du das glauben?" ruft Meister Friedolin. „Seht[6] das Datum! Dieser Brief ist neunzig Jahre alt! Neunzig Jahre hat[7] der Kleine in diesem Schrank geschlafen!"

Kasperl bekommt ein grosses Essen und erfährt bald, dass sein letzter Herr der Grossvater Meister Friedolins war. Er will sich[10] gut in seiner neuen Familie benehmen°, aber er macht es der Frau Friedolins sehr schwer, weil[1] er so oft etwas kaputt macht. Eines Tages ist die Frau so böse auf[2] ihn, dass er das Haus verlässt, um[9] die Welt zu sehen.

Er findet zuerst Arbeit als Gänsehirt°, aber er kann nicht lange bleiben, weil[1] er die Gänse mit seinen Spielen und seinem sonderbaren° Benehmen[19] erschreckt°. Später arbeitet er in der Küche eines Schlosses, aber ärgert[20] die Königsfamilie[19] und Gäste[20] so sehr, dass er wieder fortlaufen muss. Er hat auch Angst, denn ein Gast des Königs will ihn in einen goldenen[20] Käfig° stecken[20]. Daher wandert[20] Kasperl von Stadt zu Stadt, ohne lange in einer Stadt zu bleiben.

Endlich trifft er den Ziegenhirten°, Michel, und die beiden werden die besten Freunde[20]. Michel zeigt ihm ein Schloss in der Nähe, das[11] der Herzog° nur

niesen to sneeze
erstaunt astonished
So etwas! Would you believe it!
echt real, genuine
aufpassen to pay attention
sich benehmen to behave
Gänsehirt gooseherd
sonderbar strange
erschrecken scare
Käfig cage
Ziegenhirt goatherd
Herzog duke

zweimal im Jahr besucht. „Dort kannst du leben," sagt Michel. „Nein, in dem Schloss erwartet° mich viel Unglück°, das weiss ich," antwortet Kasper. Michel zieht ihn hinter einen grossen Busch[20], wo[1] er ihm ein Türlein[19] zum Schloss zeigt. „Dieses Türlein ist immer offen[20]," erklärt Michel. „Man kann es schwer finden, und niemand weiss etwas davon[5]. Gehe[6] hinein[4] und suche dir[10] ein gemütliches° Schlafzimmer[19]. Es gibt viele drinnen. Morgens können wir uns[10] im nahen[19] Walde treffen und den ganzen Tag zusammen bleiben." Dieser Plan[20] ist sehr gut, denn niemand sucht Kasperl in dem Schloss und die beiden Freunde können täglich[19] miteinander sprechen, herumspringen und spielen. Im Schloss findet Kasperl genug zu essen und schläft im allerschönsten[19] Bett[20]. Hinter dem grossen Bild im Schlafzimmer findet er ein kleines geheimes° Zimmer mit einer Kiste° voll goldener[20] Tassen und Goldstücken[19]. All das erzählt er dem kleinen Michel und die beiden Jungen verbringen° zusammen viele schöne Tage mit Geschichten und Spielen im Walde.

Eines Morgens wacht Kasperl früh auf[3], denn er hört viele Stimmen° draussen. Er schaut aus[2] dem Fenster und sieht den Herzog mit vielen Männern unten vor dem Schloss. Kasperl kann nicht aus dem Schloss laufen, denn die Männer sehen ihn dann. Bald hört er den Herzog vor der Tür des Schlafzimmers und läuft schnell in das kleine Zimmer hinter dem Bild hinein[4]. „Was für ein Rattennest[20]!" ruft der Herzog, als[1] er sein Zimmer ganz in Unordnung[20] sieht. „Aber dieses Schloss ist nicht offen[20]. Niemand kann hinein[4]-kommen," ruft ein Diener° des Herzogs.

Zur[2] Nacht ist alles wieder in Ordnung gebracht und der Herzog geht zu Bett. Weil[1] Kasperl das Schloss verlassen will, sucht er während der Nacht einen anderen Weg[20] aus dem kleinen Zimmer, ohne den Herzog zu wecken. Im Dunkeln fällt er über die Kiste und schreit vor[2] Schreck°. Im nächsten[20] Augen-

erwarten to await
Unglück misfortune, bad luck
gemütlich comfortable
geheim secret
Kiste trunk
verbringen to spend
Stimme voice
Diener servant
Schreck fright, fear

blick springt der Herzog auf[3] und ruft: „Kommt[6] her, Geister°, hier sind Geister in der Wand!" Glücklicherweise° findet Kasperl gleich darauf eine enge steile° Treppe und läuft voller[20] Angst hinunter[4]. Bald ist er in einem engen dunklen Tunnel[20]. Feucht° und kühl[20] ist es, als[1] er darin[5] weiterläuft und einmal fühlt er, dass[1] er mit den Füssen gegen kleine Tiere tritt, Ratten[20] wahrscheinlich. Sein Stöhnen° klingt° im Tunnel wie die Stimme eines fürchterlichen Geistes unter dem Schloss und erschreckt den Herzog und seine Leute noch mehr. Endich sieht Kasperl Licht, und er erreicht das Ende[20] des Tunnels im Wald. Da steht Michel und sagt: „Endlich kommst du, endlich! Wir können uns leider nicht wiedersehen," fährt er traurig fort[3], „denn der Freund des Königs sucht dich in der Nähe und wird dich in einen Käfig stecken. Bald kommen auch Männer des Herzogs, um[9] dich zu finden, weil[1] du im Schloss gelebt hast[7]. Du musst schnell weiterwandern." Die guten Freunde sagen sich[10] auf Wiedersehen.

Geist ghost, spirit
glücklicherweise fortunately
steil steep
feucht damp
Stöhnen groaning
klingen to sound

In der Nacht schläft Kasperl ganz traurig und allein in einer Höhle°. Am[2] Morgen hat er grossen Hunger, denn er isst seit[12] einem langen Tag nichts mehr. Er wandert zu der nächsten Stadt. Da findet er Arbeit bei[2] einem Gärtner[20] und bekommt dafür[5] eine Wohnung° und Essen. Er hat die schönen Blumen sehr gern und er arbeitet fleissig. Aber nach zwei Tagen kommt ein Geigenspieler°, Herr Severin, mit einer schlechten Nachricht°. „Nicht weit von hier ist ein Kasperl-Mann, der[11] einen echten Kasperl sucht," sagt er. „Dein neuer Arbeiter ist solch ein Kasperl. Ein Freund des Königs will viel Geld für ihn bezahlen°, denn er möchte[18] ihn in einen goldenen Käfig stecken. Auch der Herzog sucht Kasperl, denn er hat[7] in seinem Schloss gelebt. Ich weiss, du hast deinen neuen Arbeiter sehr gern und ich will ihm[14] helfen. Ich möchte[18] ihn schnell zu seinem echten Hause bringen." „Weisst du denn, wo Kasperls

Höhle cave
Wohnung place to live
Geigenspieler violin player
Nachricht report
bezahlen to pay

Heim ist?" fragt der Gärtner seinen alten Freund. „Ja, das hat[7] mir der Kasperl-Mann erzählt. Er wohnt in dem Waldhäuschen[19] Meister Friedolins, das[11] in der Nähe von Schönau und Protzendorf liegt. Glücklicherweise gehört° dieser Wald nicht zum Land des Herzogs. Kasperls erstes Heim aber war eine kleine Insel° im atlantischen[20] Meer°. Auf dieser Insel, wo die schönsten aller Blumen wachsen, wohnen die wenigen lebendigen Kasperle. Wenn[1] sie auf der Insel bleiben, werden sie alt wie du und ich und sterben° wie alle gewöhnlichen Menschen. Wenn[1] sie aber die Insel verlassen, werden sie nie älter[19] und sterben auch nicht. Sie können auch viele Jahre lang schlafen. Die Kasperle sind lustige Leute und jedes Kind muss lachen, wenn es einen Kasperl sieht." Grosse Tränen fliessen aus Kasperls Augen, als[1] er die Geschichte hört, denn er hat[7] alles von[2] seiner Heimat und seinen Leuten vergessen[20]. Er freut sich[10] aber auf[2] die Rückkehr° zu dem Waldhäuschen und bald springt er wieder fröhlich zwischen den Blumen umher[4].

gehören to belong to
Insel island
Meer sea
sterben to die
Rückkehr return trip

Damit niemand den Kasperl auf der Reise sieht, trägt Herr Severin ihn in einer grossen Kiste. Sie fahren ohne Unglück mit einem Wagen[20] zu Meister Friedolin. Im Waldhäuschen begrüssen alle einander herzlich. Dann hören Meister Friedolin, seine Frau und Liebetraut Kasperls Geschichten zu[3]. Kasperl verspricht°, nie wieder das Haus zu verlassen, und Herr Severin verspricht, bald wieder die Leute im Waldhäuschen zu besuchen. Beide halten[20] ihr Wort[20].

versprechen to promise

Als[1] Herr Severin zurückkommt, bringt er Michel mit, der[11] von ihm das Geigespielen lernen will. Herr Severin hat auch einen Ring[20] bei[2] sich, den[11] er Liebetraut gibt. Liebetraut wird Frau Severin und die ganze Gruppe[20] führt zusammen ein frohes Leben in dem alten Waldhäuschen.

Max und Moritz

Man muss oft von bösen Kindern hören oder lesen, wie zum Beispiel von den beiden, die[11] Max und Moritz heissen. Diese zwei wollen nicht in die Kirche oder Schule gehen, denn sie spielen lieber böse Streiche°. Von ihren sieben Streichen erzähle ich drei. Der letzte nimmt ein schlechtes Ende[20] für das böse Paar[20].

Streich prank

Erster Streich

Hühner° sind beliebte[19] Vögel, denn sie legen Eier; mit ihren Federn kann man weiche Kissen° füllen, und endlich ergeben[19] sie ein gutes Essen. Die gute Witwe° Bolte hat drei Hühner und einen Hahn°, auf die[11] sie sehr stolz° ist. Eines Tages, als[1] sie im Hause arbeitet, kommen Max und Moritz an ihrem Haus vorbei[3] und sehen die Hühner der Witwe Bolte. „Ach," sagt Max, „wir können uns einen Spass° mit den Vögeln machen. Das wird[16] lustig sein. Wir binden[20] an jedes Ende zweier Fäden° ein Stück Brot und legen sie dann über Kreuz° hinter das Haus der Witwe Bolte."

Huhn hen
Kissen pillow
Witwe widow
Hahn rooster
stolz proud
Spass fun
Faden string
über Kreuz in a cross

„Ha," lacht Moritz, „Das wird[11] Spass machen! Lass[6] mich beim[2] Binden helfen!" Als[1] sie fertig sind, stehen sie hinter dem Zaun° und warten.

Plötzlich sieht der Hahn das Brot und kräht°: „Kikeriki, kikeriki!" Die Hühner laufen zu ihm und jeder Vogel frisst ein Stück Brot auf°. Sie freuen sich[10] über[2] das gute Essen. Bald merken sie aber, dass[1] sie zusammengebunden sind. Sie laufen hin[4] und her, dann fliegen sie in die Höhe, aber, o weh, sie können sich[10] nicht befreien°. Die Fäden bleiben an einem Zweig des Apfelbaumes[19] hängen[20] und damit[5] sind auch Hühner und Hahn aufgehängt[19]. Sie gackern° und krähen vor[2] Angst, aber ihre Hälse werden immer länger, ihr Piepsen[20] wird immer schwächer. Jedes der Hühner legt noch schnell ein Ei und bald darauf sind alle tot.

Die Witwe hört das Gackern und Krähen[19] und kommt schnell aus dem Haus heraus[4]. Sie sieht die vier toten Vögel an dem Zweig des Apfelbaumes hängen und weint[20]: „O, weh, mein schönster Traum hängt an diesem Zweig." Die Tränen fliessen aus ihren Augen, als[1] sie die Toten[19] vom Baum befreit[19] und sie ins Haus bringt. Max und Moritz freuen sich hinter dem Zaun über ihren klugen Plan[20]. Dieses ist der erste Streich.

Zaun fence
krähen to crow
auffressen to eat up
sich befreien to free oneself
gackern to cackle

Fünfter Streich

Jeder weiss, was für ein Insekt[20] der Maikäfer° ist, wie er in den Bäumen krabbelt und herumfliegt. Max und Moritz überlegen° wie sie mit den Käfern den guten Onkel Fritz ärgern[20] können. Sie nehmen die Maikäfer vom Baum und stecken[20] sie in Papiertüten°. Dann gehen sie damit[5] in Onkel Fritzens Schlafzimmer. Max sagt: „Lege[6] sie hier in diese Ecke unter Onkel Fritzens Bettdecke°. Mach aber schnell, denn es wird

Maikäfer june bug
überlegen to consider, think over
Papiertüte paper sack
Bettdecke bedspread

spät und der Onkel geht bald zu Bett." Nach fünf Minuten[20] kommt Onkel Fritz in Schlafanzug[19] und Schlafmütze ins Schlafzimmer. Er sieht weder die zwei Jungen draussen am Fenster noch die Tüten unter der Decke[19]. Er legt sich[10] müde ins Bett und schliesst die Augen.

Da kommen die Käfer aus den Tüten hervor[4] und krabbeln über die Bettdecke und auf Onkel Fritzens[13] Nase. Er schreit erschrocken: „Lieber Gott[20], was für böse Krabbeltiere[19] sind denn das hier! Woher kommen die alle?" Bald krabbeln sie überall an ihm herum[4] und beissen und kratzen° ihn. Endlich trampelt[20] und schlägt der Onkel sie alle tot. Dann ist er beruhigt[19] und schläft wieder ein[3]. „Das macht viel Spass," sagen Max und Moritz hinter dem Fenster. Dieses ist der fünfte Streich.

kratzen to scratch

Letzter Streich

Das ganze Jahr über arbeiten die Bauern fleissig. Sie säen° das Korn° und dann warten sie, bis[1] sie es von den Feldern[20] bringen können. Die Körner füllen sie in Säcke[20], um[9] sie zur Mühle° zu bringen. Eines Tages finden Max und Moritz grosse Säcke voller Körner. „Der Bauer Mecke muss diese Säcke heute zur Mühle[20] bringen," sagt Moritz. „Wir müssen ihm[14] diese Arbeit schwer machen." „Lass[6] uns die Säcke aufschneiden°!" sagt Max. Dieser Spass freut die beiden. Sie schneiden jeden Sack[10] auf[3], verstecken° sich[10] dann und warten auf[2] den Bauern. Bald holt der Bauer den ersten Sack und denkt: „Dieser Sack ist gar nicht schwer." Er schaut im Zimmer herum[4] und sieht die Körner auf dem Boden. „Kein Wunder,[20]" sagt er, „der Sack ist leer. Wer hat[7] den Sack aufgeschnitten?" Max und Moritz versuchen°, sich besser hinter einem

säen to sow (seed)
Korn grain (old word)
Mühle mill
aufschneiden to cut open
sich verstecken to hide
versuchen to try

Sack zu verstecken, aber der Bauer sieht sie und ruft: „Aha, da sind die Bösen![19]" Er ergreift sie schnell am[2] Hals, steckt sie in einen leeren Sack und trägt sie zur Mühle.

Dort trifft er den Müller[20] und sagt: „Meister Müller, mahle° das so schnell, wie du kannst!" Der Meister steckt Max und Moritz in die Mühle. In feinen[20] Stücken kommen sie am anderen Ende[20] aus der Mühle wieder heraus[4]. Meister Müllers Enten° freuen sich[10] und fressen sich daran dick und satt°. Der Bauer lacht und sagt: „Ja, das kommt von dummen Witzen°. Gott sei Dank war das ihr letzter Streich."

mahlen to grind
Ente duck
satt full
Witz joke

Struwwelpeter, Suppen-Kaspar und Hans Guck-in-die-Luft

Du weisst, was für ein böses Ende[20] es nimmt mit schlechten Buben°. Erstens gibt man ihnen Namen. Diese Namen sind nicht schön und oft behalten° die armen Buben sie ihr Leben lang. Zweitens bringt ihnen das Christkind zur Weihnachtszeit nichts als Kohle[20] und Ruten°. Drittens trifft sie oft manches Unglück. Aber das alles ist nur recht, weil sie so garstig° sind.

Bub rascal
behalten keep
Rute switch
garstig disgusting

Struwwelpeter

Pfui![20] der Struwwelpeter! An beiden Händen lässt er sich[10] fast ein Jahr lang seine Nägel[20] nicht schneiden. Er kämmt° sich[10] auch nicht das Haar. „Pfui!" ruft jeder, der[11] den Struwwelpeter sieht. „Garstiger Struwwelpeter!" An seinem Bild sieht man leicht, wie gut der Name zu ihm passt°.

kämmen to comb
passen to suit, to be fitting

Suppen-Kaspar

Der Kaspar ist zu[2] Anfang sehr gesund. Aber ihn trifft ein schlechtes Ende. Dieser dicke Bub mit roten Wangen° will plötzlich seine Suppe[20] nicht mehr essen. „Ich esse meine Suppe nicht!" schreit er und lässt sie auf dem Tisch stehen. Am nächsten Tag ist er schon viel dünner, aber er springt am Tisch herum[4], wirft die Hände hoch und schreit, dass[1] er keine Suppe will. Am dritten Tag isst er sie noch nicht. Am vierten Tag ist der Kaspar so dünn wie ein Faden° und noch schwächer, isst aber trotzdem° seine Suppe nicht. Am fünften Tag ist er tot.

Wange cheek

Faden string

trotzdem in spite of that

Hans Guck-in-die-Luft

Wenn[1] Hans zur Schule geht, guckt° er immer in die Luft°. Er schaut nach den Wolken und Vögeln, nicht aber auf[2] seine Füsse und auf den Weg. Die Leute zeigen auf ihn und rufen: „Seht[6], da kommt der Hans Guck-in-die-Luft." Einmal geht er mit seinem Schulbuch, guckt in die Luft und sieht nicht den Fluss vor sich. Die Fischlein[19] sind ganz erstaunt, als[1] der Junge so nahe kommt. Sie können nicht rufen, „Bub, gib[6] acht!°" und der Hans fällt in den kalten, tiefen Fluss hinein[4].

gucken to look, gape

Luft air

Gib acht! Watch out!

Daumesdick

Ein Bauer und seine Frau sitzen eines Abends in der Küche. Der Bauer sagt: „Es ist so traurig, dass[1] wir keine Kinder haben. In den anderen Häusern ist's so laut[20] und lustig, aber bei uns ist es immer so still[20]. Wenn wir doch nur ein Kind hätten![18]" „Ja," sagt die Frau, „ich würde[18] glücklich sein, auch wenn° es nur so klein wie mein Daumen° wäre[18]. Ich würde[18] es lieben, Kleider für es nähen und mit ihm sprechen."

Nach einiger Zeit bringt sie einen kleinen Sohn zur Welt[20], der[11] nicht grösser ist als ihr Daumen. Zuerst ist sie traurig, weil[1] der Junge nicht so gross ist wie alle anderen Kinder. Aber dann denkt sie an ihren Wunsch°, und sie und ihr Mann sind sehr glücklich, dass[1] sie ein Kind haben. Weil[1] ihr Sohn nicht grösser wird, nennen° sie ihn Daumesdick. Der Bauer und seine Frau lieben ihn sehr und haben viel Freude an ihm°.

Als[1] Daumesdick älter wird, hilft er seinen Eltern bei[2] der Arbeit auf dem Bauernhofe°, so gut er kann. Eines Morgens hört er, wie sein Vater sagt: „Ich gehe jetzt in den Wald Holz hacken°. Um[2] elf Uhr muss ich das Pferd und den Wagen haben. Bringe[6] sie pünktlich zu mir!" „Ich muss auch dein Essen machen!

auch wenn even if
Daumen thumb
Wunsch wish
nennen to name, call
haben viel Freude an ihm enjoy him very much
Bauernhof barnyard
Holz hacken wood chopping

Wie kann ich beides tun? Wenn[1] du essen willst, kann ich den Wagen nicht um elf Uhr bringen." "Es ist aber wichtig°," sagt der Bauer. „Bringe[6] den Wagen um elf Uhr, und wir essen später." „O Vater," ruft Daumesdick, „ich will den Wagen bringen. Dann kann Mutter das Mittagsessen leicht machen." Da lacht der Bauer und sagt: „Danke, mein Sohn, aber du bist viel zu klein. Wie kannst du das Pferd führen?" „Mutter soll mich ins Ohr des Pferdes setzen,[20]" ruft Daumesdick. „Dann kann ich dem Pferd sagen, wohin[1] es gehen soll."

wichtig important

Zuerst lachen sie, aber Daumesdick will es doch tun. So geht der Bauer in den Wald und hackt Holz. Als[1] es Zeit ist, setzt die Mutter den Kleinen[19] ins Ohr des Pferdes und Daumesdick führt das Pferd in den Wald. „Links°, nun vorwärts[20], rechts um die Ecke!" ruft er dem Pferd ins Ohr. Zwei fremde° Männer im Walde sehen den Wagen. Sie hören jemanden rufen, aber sie sehen nichts als ein Pferd und einen Wagen. „Wer ruft denn da?" sagt einer, „es kann nicht das Pferd sein." „Wir folgen dem Wagen," sagt der andere, „und sehen, was hier los ist." Der Wagen fährt gerade° zu dem Platz[20], wo[1] der Bauer mit dem Holze[13] wartet. Als[1] Daumesdick den Vater sieht, ruft er ihm zu[3]: „Siehst du Vater, da bin ich mit dem Wagen, nun hole[6] mich herunter![4]" Der Vater hält° das Pferd mit der einen Hand, holt den Sohn mit der anderen Hand herunter[4] und setzt ihn auf das Gras[20] nieder[3].

links left

fremd foreign, strange

gerade directly, right

halten to hold

Als[1] die zwei fremden Männer das alles sehen, sagt der eine zum anderen: „Mit dem Kleinen[19] können wir reich werden. In den grossen Städten werden[16] die Leute uns viel Geld geben, um[9] ihn zu sehen. Lass[6] uns mit dem Bauern[13] sprechen." Sie gehen zum Bauern[13] und fragen: „Verkaufen Sie uns den kleinen Mann? Wir geben Ihnen viel Geld für ihn und er soll es gut bei[2] uns haben." „Nein," antwortet der Vater, „er ist mein lieber Sohn und ich will ihn für alles Geld auf[2] der Welt nicht verkaufen.“ Daumesdick aber klettert° auf einen hohen Stein nahe° an[2] das Ohr des Vaters und flüstert° ihn zu[2]: „Vater, gib[6] mich nur hin[4], ich werde[16] schon wieder zurückkommen.“ So sagt der Bauer endlich „ja,“ und bekommt viel Geld für den kleinen Daumesdick. Er ist sehr traurig, als[1] die zwei Männer seinen Sohn mitnehmen.

Auf dem Wege ruft Daumesdick: „Ihr braucht mich nicht zu tragen. Setzt[6] mich auf den Hut; da kann ich herumspazieren und alles gut sehen und es ist leichter für euch.“ Am Abend haben sie Hunger und setzen sich[10] unter einem Baum, um[9] zu essen. Daumesdick ist auch hungrig und ruft: „Bitte, lasst[6] mich schnell herunter[4]. Ich will auch etwas essen!“ Der Mann nimmt den Hut ab[3] und legt ihn auf die Erde. Da springt Daumesdick schnell vom Hut herunter[4] und läuft in[2] ein Mauseloch°. „Guten Abend, ihr Männer!“ ruft er von dort aus[3], „geht[6] nur ohne mich heim![3]“ Er lacht, denn die Männer können ihn nicht finden. Endlich geben sie die Suche° auf[3] und gehen ärgerlich ohne ihn nach Hause.

Als[1] Daumesdick die zwei Männer nicht mehr hört, kommt er aus dem Loch heraus[4], aber er hat Angst, weil[1] es so dunkel ist. Er findet ein leeres Schneckenhaus° und schläft darin[5]. Nicht lange danach[5] hört er zwei andere Männer. Es sind zwei Diebe°, die[11] nichts von ihm wissen. Einer sagt: „Wie können wir des Junkers° Geld und Silber[20] stehlen°?“ „Das weiss ich!“ ruft Daumesdick vom Schneckenhaus. „Was ist das?“ sagt ein Dieb erschrocken°. „Wer spricht da? Wo ist er denn?“ „Habt[6] keine Angst°. Ich will euch nur helfen,“ ruft Daumesdick. „Wo bist du denn?“ fragen die Diebe voller Angst. „Sucht[6] auf der Erde[20]!“ antwortet Daumesdick. Da finden die Diebe ihn endlich und sind sehr erstaunt[20], solch einen kleinen Jungen[13] zu sehen. „Wie kannst du uns helfen?“ fragt der eine Dieb. „Ich bin klein und komme durch die

klettern to climb
nahe an near to
zuflüstern to whisper
Mauseloch mouse hole
Suche search
Schneckenhaus snail shell
Dieb thief
Junker squire, young nobleman
stehlen to steal
erschrocken startled, frightened
Angst fear

Eisenstäbe° am[2] Fenster und so leicht in die Schatzkammer° des Junkers hinein[4]. Dann reiche ich euch zu°, was ihr haben wollt." „Wir wollen sehen, was du kannst," sagen die Diebe und nehmen ihn mit zum Hause des Junkers. Sie setzen ihn auf das Fensterbrett° und er kommt leicht durch die Eisenstäbe in die Schatzkammer hinein[4]. „Suche[6] zuerst das Silber!" rufen sie ihm zu[3].

Auf einmal schreit Daumesdick so laut er kann: „Hier ist es. Ich finde es. Wollt ihr alles haben, was hier ist?" Die Diebe erschrecken° und sagen: „Sprich[6] nicht so laut! Leise, leise, alle Leute können dich hören." Aber Daumesdick tut, als verstehe° er sie nicht und schreit wieder: „Was wollt ihr? Wollt ihr alles haben, was hier ist? Wollt ihr zuerst die Löffel oder die Gabeln haben?" Die Diebe haben Angst und laufen fort. Ein Diener° hört den Lärm° und geht in die Schatzkammer. Aber er kann niemanden finden. „Vielleicht habe[7] ich die Stimme° nur im Traum gehört," sagt er, und geht wieder zu Bett. Bevor[1] der Diener die Tür zur Schatzkammer wieder schliesst, läuft Daumesdick schnell zwischen seinen Beinen hindurch[4] und aus der Kammer heraus[4]. Er findet den Weg hinaus[4] in die Scheune°, legt sich gemütlich in das Heu° und schläft ein[3].

Am[2] Morgen kommt die Magd° in die Scheune. Sie holt einen Armvoll[20] Heu für die Kuh. Daumesdick wacht nicht auf[3], bis[1] er schon im Maul° der Kuh ist. Er merkt bald wo er ist; dann fällt er in den Magen°. „Schade, dass[1] der Magen keine Fenster hat und dass es so dunkel ist," denkt er. „Das Schlimmste[19] aber ist, dass[1] immer mehr neues Heu zur Tür hineinkommt. Der Platz[20] wird immer enger." Endlich ruft er vor[2] Angst, so laut erkann: „Bringt[6] mir kein frisches[20] Futter° mehr, bringt mir kein frisches Futter mehr!" Die Magd bekommt solch einen Schreck°, dass sie vom Milchstuhl[19] fällt. Sie läuft schnell zu ihrem

Eisenstab iron bar
Schatzkammer treasure room
zureichen to hand over
Fensterbrett window sill
erschrecken to be afraid
als verstehe er nicht as if he didn't understand
Diener servant
Lärm noise
Stimme voice
Scheune barn
Heu hay
Magd maid
Maul mouth (of an animal)
Magen stomach
Futter feed
Schreck shock, fear

Herrn[13] und ruft: „Ach Gott, lieber Herr, die Kuh redet. Sie ist behext°. Die böse Stimme kommt vom Magen. Ich habe[7] sie eben gehört!" „Das ist Unsinn°!" antwortet der Junker, geht aber in den Stall[20] und will selber sehen, was los ist. „Lasst[6] mich heraus[4], lasst mich heraus!" ruft Daumesdick im Magen der Kuh. Da erschreckt der Junker selbst[20] und sagt: „Es ist ein böser Geist° in der Kuh. Wir müssen die Kuh gleich töten°!"

Der Metzger° schlachtet° die Kuh. Den Magen, worin[1] Daumesdick sitzt, wirft er hinter die Scheune. Bevor[1] Daumesdick sich herausarbeiten[19] kann, kommt ein hungriger[20] Wolf[20] und frisst° den ganzen Magen mitsamt° Daumesdick auf[3]. „Lass[6] mich heraus, lass mich heraus!" ruft er dem Wolf zu[3]. Der Wolf aber ist klug und sagt: „Was tust du für mich, wenn[1] ich dich herauslassen?" „Lieber Wolf," antwortet Daumesdick, „ich zeige dir, wo es Hühner gibt, so viele wie du essen willst." Dann beschreibt er dem Wolf den Hof° seines Vaters.

„Wenn[1] du recht hast," sagt der Wolf, als[1] er zu dem Hof läuft, „lass ich dich heraus." „In dem Zaun° zur[2] rechten Seite findest du ein Loch," ruft Daumesdick, „dadurch[1] du in den Hof kommen kannst." Das Loch ist sehr eng und der Wolf kann nur mit Schwierigkeit° dadurch[5] in den Hof kommen. Da sieht er viele dicke Hühner, bereit für den Sonntagsbraten°, an einem Baum hängen[20]. Er frisst und frisst, bis[1] er voll ist. Darauf ruft Daumesdick: „Lass mich heraus, lass mich heraus!" Er schreit und macht einen grossen Lärm im Magen des Wolfes. „Willst du stille sein!" sagt der Wolf, „du weckst° die Leute auf.[3]"

Daumesdick aber schreit, so laut er kann. Der erschrockene[19] Wolf will durch das Loch im Zaun fliehen[20], aber er ist von dem vielen Essen so dick, dass[1] er fest[20] im Zaun steckenbleibt. „Vater, Mutter!" ruft Daumesdick, als[1] er endlich die Stimmen seiner Eltern

behext bewitched
Unsinn nonsense
Geist ghost, spirit
töten to kill
Metzger butcher
schlachten to butcher, slaughter
fressen to eat
mitsamt together with
Hof yard
Zaun fence
Schwierigkeit difficulty
Sonntagsbraten Sunday roast
aufwecken to awaken, wake up

im Hof hört, „ich bin hier im Magen des Wolfes!" „Ach," sagt der Vater, „es ist die Stimme unsres lieben Kindes." Er schlägt° den Wolf mit einer Axt[20] tot und holt den Sohn aus den Magen heraus[4]. „Wo bist[7] du denn so lange gewesen?" fragt er ängstlich°. „Ach, Vater," antwortet Daumesdick, „ich war in einem Mauseloch, in einem Kuhmagen und bis jetzt im Magen des Wolfes. Nun aber bleibe ich nur noch bei[2] euch." „Und ich verkaufe dich für alles Geld auf der Welt nicht wieder," sagt der Bauer. Sie küssen[20] ihren lieben Sohn, geben ihm etwas zu essen und zu trinken und nähen ihm neue Kleider. Nun ist es wieder lustig im Hause des Bauern[13].

schlagen to beat

ängstlich anxiously

Reineke Fuchs

Reineke der Fuchs wohnt in seiner schönen Burg° Malepart mit seinem Weib[20] und seinen Kindern. Er hat zwei Söhne, die[11] fast so gut wie der Vater schleichen° und springen können, und Reineke ist sehr stolz auf[2] sie. Abends bleibt Reineke bei[2] seiner Familie in der Burg. Während des Tages aber sieht die Familie den Vater nicht oft. Er geht im Wald herum[3] und ärgert die anderen Tiere mit seinen Streichen. Die Tiere sind sehr böse auf[2] Reineke und bringen viele Klagen° über[2] ihn vor den Löwen°, den König der Tiere. Der Löwe hat grossen Respekt[20] vor[2] Reineke, denn der Fuchs ist sehr schlau° und klug. Endlich aber sind die Tiere so böse auf Reineke, dass[1] der Löwe etwas unternehmen[19] muss. „Wolf," sagt er. „Geh[6] zu Reineke und sage ihm, dass[1] er zu mir kommen und meine Fragen beantworten soll."

Der Wolf macht sich auf den Weg nach der Burg Malepart. Dort überbringt[19] er dem Fuchs den Befehl° des Königs. „Lieber Wolf," sagt Reineke. „Sage[6] dem König, dass[1] ich nicht zu Hause bin und ich gebe dir dafür[5] ein gutes Abendessen." Der Wolf hat grossen Hunger und sagt darum „ja." Er folgt dem Fuchs bis zu

Burg old castle
schleichen to sneak
Klage complaint
Löwe lion
schlau sly
Befehl order

der Strasse, auf der[11] jeden Tag ein Fischhändler[20] vorbeikommt. Während[1] der Wolf hinter einem Baum wartet, geht Reineke auf die Mitte[20] der Strasse und legt sich hin[4], als wäre[18] er tot. Der Händler kommt und freut sich[10] über[2] den schönen Fuchspelz° auf der Strasse. Er wirft ihn fröhlich auf seinen Wagen und fährt weiter zur Stadt. Er sieht nicht, wie der Fuchs aufsteht und die guten frischen Fische[20] vom Wagen wirft. Der Wolf frisst alle Fische auf[3], die[11] der Fuchs herunterwirft, bis[1] er ganz dick und voll[20] ist. Dann geht er zum Löwen[13] zurück[3] und sagt, „Reineke ist nicht zu Hause. Vielleicht kommt er morgen.“

Fuchspelz fox pelt

Am nächsten Tag schickt der Löwe den Bären[13] mit dem gleichen Befehl zum Fuchs. Reineke begrüsst den Bären freundlich auf der Burg und sagt: „Ich habe Magenschmerzen° vom vielen Honigessen°.“ Der Bär[20] ist sehr an[2] Honig interessiert und fragt: „Wo gibt es denn so viel Honig? Wenn du mir den Honig zeigst, sage ich dem König, dass[1] du nicht zu Hause bist.“ Reineke sagt: „Wir müssen bis zur Nacht warten. Dann zeige ich es dir.“ Im Dunkeln führt Reineke den Bären endlich zu einem Bauernhof°. Dort liegt ein Baumstamm[19] mit einem grossen Spalt°, in dem[11] ein Keil° steckt. „Da drüben°,“ sagt Reineke zum Bären, „da drüben in dem breiten Spalt findest du den Honig.“ Als[1] der Bär den Kopf in den Spalt steckt, nimmt Reineke den Keil aus dem Stamm. Der Spalt schnappt[20] zusammen, und der Bär kann den Kopf nicht mehr herausziehen. Er versucht freizukommen[20], schreit vor[2] Schmerz und zieht und zieht. Der Bauer hört den Lärm und läuft mit seinen Nachbarn zu dem Baumstamm, um[9] den wilden[20] Bären zu töten. Voller Angst kann sich der Bär im letzten Augenblick noch befreien, aber er muss viel Haut° und Haare lassen. Er läuft mit blutenden° Wunden[20] zum Löwen und erzählt ihm alles.

Magenschmerzen stomach ache
Honigessen eating of honey
Bauernhof barnyard
Spalt crack
Keil wedge
da drüben over there
Haut skin
blutend bleeding

„Ich weiss kaum° noch, wen ich nun schicken soll,“

kaum hardly

sagt der Löwe. „Kater° Hinz, du musst den Befehl morgen dem Fuchs überbringen. Ich wünsche dir viel Glück." Der Kater geht am nächsten Morgen zur Burg Malepart und bringt Reineke den Befehl. Der schlaue Fuchs aber sagt: „Lieber Vetter Hinz, ich weiss doch, wie gerne du Mäuse frisst. Nun, nicht weit von hier ist die Scheune eines Pfarrers, in der[11] es unglaublich viele Mäuse gibt. Wenn[1] du dem Löwen sagst, dass[1] ich nicht zu Hause bin, zeige ich dir in der Nacht die Scheune." Das ist zu viel für den Kater, und er will die Mäuse selbst sehen. In der Nacht führt Reineke ihn zur Scheune und zeigt ihm einen Spalt in der Wand. Der Fuchs weiss, dass auf der anderen Seite eine Falle° ist. Davon[5] sagt er aber dem Kater nichts. Als Hinz durch den Spalt geht, tritt er in die Falle. Er schreit so laut vor[2] Schmerz, dass[1] der Pfarrer ihn hört und mit einer Axt[20] kommt, um[9] das Tier zu töten. In seiner Angst befreit sich[10] der Kater und läuft zum König zurück[3]. Er erzählt dem Löwen alles und beklagt sich[10] bitter[20] über den bösen Fuchs.

Da bittet der Löwe den Dachs° um[2] seine Hilfe, und der Dachs bringt den Fuchs endlich mit sich zum König zurück[3]. Wegen seiner vielen bösen Streiche wird[17] Reineke zum Tode verurteilt°. Als er schon mit der Schlinge° um[2] den Hals dasteht, darf er noch einmal reden. Er bittet alle, ihm[14] alles zu vergeben[20] und fragt, ob[1] er noch eine Pilgerfahrt° machen darf.

Der König glaubt an[2] seine Rede[19] und schickt den Schafbock° und den Hasen[13] mit ihm zu der Burg Malepart, weil[1] er auf Wiedersehen zu seiner Familie sagen will. Vor der Burg sagt Reineke zu dem Schafbock, dass[1] er draussen warten soll, und er geht mit dem Hasen in die Burg hinein[4]. Hinter der Tür aber fallen Fuchs und Füchsin[19] über den Hasen her[4] und fressen ihn auf[3]. Den Kopf packen[20] sie in einen Korb° und sagen zu dem Schafbock: „Dieser Korb ist voller Geschenke für den König und der Hase bittet dich,

Kater tomcat
Falle trap
Dachs badger
verurteilen to sentence
Schlinge noose
Pilgerfahrt pilgrimage
Schafbock ram
Korb basket

ihn zu dem Löwen zu bringen." Der dumme Schafbock glaubt alles und bringt den Korb zum König. Da findet der König den Hasenkopf[19] und schwört[20]: „Ich werde den bösen Reineke vom Baume hängen, dass[1] er alle seine Streiche für immer vergessen soll. Dachs, geh zum Fuchs und bringe ihn wieder zu mir zurück[3]!"Der Dachs kommt mit dem Fuchs zum König und wieder will der König den Reineke in die Schlinge stecken, aber der Fuchs sagt: „Mit dem Wolf habe[7] ich einen schönen Ring[20] zu Ihnen geschickt. Hat[7] er ihn Ihnen nie gebracht? Dieser Ring ist so kostbar[20] wie kein anderer auf der Welt. Und mit dem Bären habe[7] ich einen Kamm° für die Königin[19] geschickt. Einen Schöneren kann man nicht finden. Mit dem Hasen und Schafbock habe ich als Dank teure Edelsteine° in einem Korb geschickt. Warum haben sie Ihnen diese Geschenke nicht gebracht?" Der König glaubt, dass[1] der Wolf, der Bär und der Schafbock schuldig° sind und lässt sie ins Gefängnis° werfen. Der Fuchs aber darf frei nach Hause gehen.

Kamm comb
Edelstein gem
schuldig guilty
Gefängnis prison

Nach einiger Zeit versteht der König, dass[1] die Geschichten des Fuchses alle Lügen° sind, und so lässt er Wolf, Bär und Schafbock wieder frei[20].

Lügen lie

Der Wolf sieht, dass[1] der Fuchs sehr schlau ist, aber er denkt bei[2] sich: „Der Fuchs kann nicht so gut kämpfen° wie ich. Im Kampf[19] kann ich ihn leicht töten." Darum sagt er eines Tages zum Fuchs: „Wenn[1] du keine Angst hast, sollst du mit mir kämpfen." Reineke sagt zum Wolf: „Jawohl, morgen soll der Kampf[19] sein. Auf Wiedersehen." Dann geht er zu den Affen°, die[11] ihm[15] alle Haare abrasieren° und ihn dick mit Öl[20] einschmieren[20]. Am nächsten Morgen beginnt der Kampf um[2] Leben und Tod. Der Wolf kämpft gut, aber er kann den Fuchs nicht festhalten[20]. Immer wieder beisst[20] der Fuchs den Wolf ins Bein, ins Ohr, an den Hals, bis[1] der starke Wolf endlich halbtot[19] im Kampfring[19] liegt.

kämpfen to fight in battle
Affe monkey
abrasieren to shave off

Darauf kommen viele Tiere mit einem Befehl vom König. Sie sagen zum Fuchs: „Der König will den Kampf beenden[20]. Er ernennt dich zum Sieger° und möchte[18] nicht, dass[1] du den Wolf tötest." Dann ehren° alle den Fuchs und feiern seinen Sieg[19] mit einem grossen Fest[20]. Reineke dankt ihnen freundlich, geht zum König und sagt: „Lieber König, ich liebe Sie vom ganzen Herzen[13] und bleibe Ihnen immer treu.[20]" „Reineke," sagt der König, „du bist schlauer und klüger als alle Tiere. Von heute an regiere° ich nur noch mit deinem Rat° und du sollst Herr in allen meinen Ländern sein."

Sieger victor
ehren to honor
regieren to rule
Rat advice

Reineke dankt dem König und geht nach Hause zu seiner Burg Malepart. Danach lehrt er seine Kinder Schlauheit[19] und Falschheit[19] und diese Kinder lehren es wieder ihren Kindern und so weiter. Jetzt verstehst du den Satz: Der Mensch, der[11] es immer versteht, seinen Kopf aus der Schlinge zu ziehen, ist ein schlauer Fuchs.

Die Bremer Stadtmusikanten°

Stadtmusikant town musician

Ein Mann hat einen Esel, der[11] ihm schon[12] viele Jahre lang die Säcke zur Mühle° trägt. Nun aber ist er alt und schwach und kann nicht mehr arbeiten. Daher denkt der Bauer: „Wozu° habe ich diesen Esel? Er ist zu alt zum Arbeiten[19]. Ich kann ihn nicht länger behalten°." Der Esel denkt: „Ich bin so alt und schwach. Vielleicht wird[16] der Bauer mich töten°. Ich muss fortlaufen. Ich will als Musikant[19] nach Bremen gehen. Dort auf dem Markplatz kann ich spielen und singen[20]."

Der Esel läuft fort[3]. Bald sieht er einen Jagdhund°. Der liegt traurig auf dem Wege und weint. „Warum weinst du?" fragt der Esel. „Ich bin alt und werde jeden Tag schwächer. Ich kann auf der Jagd[19] nicht mehr schnell laufen. Mein Herr hat mich nicht mehr gern, denn ich bin zu alt und schwach zum Jagen. Ich laufe von ihm fort[3], weil[1] ich Angst habe, dass[1] er mich tötet. Aber jetzt bin ich so müde und hungrig[20]. Wie kann ich mein Brot verdienen°?" „Ich gehe als Musikant nach[2] Bremen," sagt der Esel. „Komm[6] mit und werde[6] auch Musikant! Nichts ist leichter als das."

Mühle mill

wozu what for, why

behalten to keep

töten to kill

Jagdhund hunting dog

verdienen to earn

„Das ist eine gute Idee[20],“ sagt der Hund und wird wieder froh.

Die zwei gehen weiter, bis[1] sie eine Katze treffen. Sie sitzt am Wege und macht ein Gesicht wie drei Tage Regenwetter°. Der Esel fragt: „Warum sitzt du so traurig da, Katze?“ Die Katze antwortet: „Ich bin zu alt und müde. Meine Zähne° sind nicht mehr scharf[20]. Ich habe Angst vor[2] meinen Herrn[13], denn ich bin kein guter Mäusefänger° mehr. Ich liege immer auf dem Herd° und bin zu müde zum Jagen. Aber was soll ich jetzt tun?“ „Komm mit nach Bremen und werde Musikant,“ sagt der Esel. „Ja,“ sagt der Hund. „Wir wollen auf dem Marktplatz singen und spielen. Nichts ist leichter als das,“ spricht der Esel. „Du kannst noch gut singen. Komm mit uns! Bremen liegt nicht weit von hier.“ „Das tue ich gerne,“ sagt die Katze und geht mit.

Gesicht wie drei Tage Regenwetter sad face

Zahn tooth

Mäusefänger mouse catcher

Herd stove

Bald sehen alle drei Freunde ein Bauernhaus[19]. Da sitzt ein Hahn° auf dem Dach und schreit so laut er kann. „Warum schreist du so?“ fragen die Tiere. „Morgen ist Sonntag, und Gäste kommen auf[2] Besuch. Die Hausfrau will mich fürs Essen haben, denn ich bin so alt. Nun schreie ich solange[1] ich noch kann. Was soll ich sonst° tun?“ „Komm[6] mit uns nach Bremen,“ sagt der Esel. „Jeder von uns wird da Musikant.“ „Ja,“ sagt der Hund. „Du darfst nicht sterben°. Komm mit uns nach Bremen! Dort machen wir schöne Musik[20] auf dem Marktplatz. Du hast noch eine gute Stimme. Mach[6] mit uns Musik!“ Der Hahn wird wieder froh und sagt, „Das ist eine gute Idee,“ und geht mit.

Hahn rooster

was sonst what else

sterben to die

Die Tiere wandern bis tief in die Nacht hinein[4]. Endlich sind sie zu müde zum Weitergehen[19] und suchen sich[10] Schlafplätze[19]. Der Hahn fliegt auf einen hohen Baum, und auf einmal schreit er so laut, dass[1] er die anderen Tiere erschreckt°. „Was ist los?“ fragen die Tiere. „Ich sehe ein Licht,“ sagt der Hahn. „Nicht

erschrecken to scare

weit von hier ist ein Haus. Vielleicht finden wir dort Essen und Schlafplätze." „Sehr gut," sagen alle. „Lass[6] uns zu dem Hause gehen!"

Sie kommen zum Haus und der Esel sieht durch das Fenster. „Was siehst du?" fragt der Hund. „Diebe° sitzen am Tisch bei[2] herrlichem Essen," antwortet der Esel. „Wir müssen die Diebe verjagen," sagen die Tiere und machen einen Plan[20]: Der Esel stellt° sich mit den Vorderfüssen[19] auf das Fensterbrett°, der Hund springt[20] auf den Esel, die Katze auf den Hund, und der Hahn auf die Katze. Dann springen sie zum Fenster hinein[4]: Der Esel schreit, der Hund bellt, die Katze miaut[20], und der Hahn kräht. Die Diebe springen vom Tisch auf[3] und schreien „Geister°, in diesem Haus sind Geister!" und laufen fort, so schnell sie können.

Nun setzen sich[10] die vier Tiere an[2] den Tisch und essen genug für vier Wochen. Später machen sie das Licht aus[3] und jeder sucht einen Platz[20] zum Schlafen. Der Esel legt sich[10] auf das Stroh[20] im Hof°, die Katze auf den Herd, der Hund hinter die Tür, der Hahn fliegt auf das Dach des Hauses. Sie sind sehr müde und schlafen schnell ein[3].

Inzwischen denken die Diebe im Walde: „Vielleicht waren es doch keine Geister." Als[1] sie kein Licht mehr im Hause sehen, geht ein Dieb ruhig in das Haus. Am Herd will er sich[10] ein Stück Holz anzünden°. Er denkt, die Augen der Katze sind heisse Kohlen[20] und hält das Holz daran[5]. Die Katze aber springt auf ihn und kratzt[20] ihn. Als[1] der Dieb zur Tür hinausläuft, beisst[20] der Hund ihn ins Bein. Der Hahn hört den Lärm im Hause und schreit laut: „Kikeriki, kikeriki!" Der Dieb läuft in den Hof, wo[1] der Esel ihm noch einen Tritt° gibt. Voller Angst läuft er, so schnell er kann, zu den anderen Dieben zurück[3] und sagt: „Es ist schrecklich! Im Hause ist eine böse Hexe°. Sie sitzt auf dem Herd und kratzt mit ihren langen Fingern[20]. An der Tür steht ein Mann mit einem langen scharfen[20]

Dieb thief

stellen to place

Fensterbrett window sill

Geist ghost, spirit

Hof yard

anzünden light

Tritt kick

Hexe witch

Messer. Der schneidet allen[15] ins Bein. Im Hof liegt ein Ungeheuer°, das[11] ein dickes Stück Holz zum Schlagen° hat, und auf dem Haus sitzt der Richter° und ruft mit lauter Stimme: ‚Haltet[6] den Dieb, haltet den Dieb!' Ich gehe nie wieder in das schreckliche Haus. Lass[6] uns gehen!" Die Diebe verlassen den Wald und kommen nie wieder.

Ungeheuer monster
zum Schlagen for beating
Richter judge

Die vier Musikanten finden das Haus sehr gemütlich, aber nach drei Tagen haben sie nichts mehr zu essen. Weil[1] sie noch Stadtmusikanten in Bremen werden wollen, gehen sie früh am nächsten Morgen nach Bremen. Am Mittag sind sie dort. Als sie die vielen Menschen auf dem Marktplatz sehen, stellen sie sich vor° und geben ihr erstes Konzert[20]. Damit[1] alle Leute sie besser[20] sehen können, stellt sich ein Tier auf das andere, der Hahn ganz oben, wie vor dem Fenster des Diebehauses. Alle Leute hören zu[3] und haben die Sänger[20] sehr gern. Die Zeitungen loben° sie, die ganze Stadt spricht von[2] ihnen und bald werden sie in der ganzen Welt berühmt°. Grafen°, Barone[20], Bürger und Kinder kommen, um[9] ihre Konzerte zu hören und um[9] sie zu sehen. Bald sind ihre Taschen voll Geld. Der Senat[20] ernennt° sie zu Stadtmusikanten, was eine grosse Ehre ist. Sie sind seit[12] vielen Jahren tot, aber man spricht noch oft von[2] ihnen, besonders in Bremen. Und wenn du nach Bremen fährst, siehst du dort ein grosses Denkmal° und viele Bilder von ihnen.

vorstellen introduce
loben to praise
berühmt famous
Graf count, earl
ernennen to appoint
Denkmal memorial

Zwerg Nase

In Deutschland lebt ein armer Schuhmacher[19]. Er muss oft neues Leder[20] kaufen und hat nicht immer Geld dafür[5]. So hilft ihm[14] seine Frau. Sie pflanzt Gemüse und Obst in einem kleinen Garten[20] und verkauft° es auf dem Markt[20]. Die beiden haben einen schönen Sohn mit Namen Jakob. Er ist acht Jahre alt, hat ein hübsches Gesicht und alle Leute haben ihn gern. Er hilft dem[14] Vater bei[2] der Arbeit und geht auch oft mit seiner Mutter auf[2] den Markt.

Eines Tages sitzt die Frau wie gewöhnlich auf dem Markt, die Körbe mit Kohl° und Gemüse, vielen Kräutern°, Birnen und Aprikosen[20] vor sich. Da kommt ein altes Weib° mit einem dünnen Gesicht, kleinen roten Augen und einer langen spitzen° Nase. Sie bleibt vor den Körben der Schuhmachersfrau[19] stehen und fährt mit ihren dunkelbraunen[19] hässlichen° Händen in den Kräuterkorb hinein[4]. Mit den langen Spinnefingern° bringt sie ein Kräuterbündel[19] nach dem anderen an[2] die lange Nase und beriecht° es. „Schlechtes Zeug°! Schlechtes Kraut!" sagt die. Dann wirft sie das letzte Bündel[20] wieder unordentlich[20] in

verkaufen to sell

Kohl cabbage

Kraut herb

Weib woman

spitz pointed

hässlich ugly

Spinnefinger spidery finger

beriechen to smell

Zeug stuff

den Korb. Das ärgert[20] den kleinen Jakob. „Höre[6], du bist ein unverschämtes° altes Weib," ruft er." Zuerst steckst du die langen dünnen Spinnefinger in die Körbe hinein[4] und drückst° die schönen Kräuter zusammen[3], dann hältst du sie an deine lange Nase, dass[1] niemand sie mehr kaufen mag° und dann sagst du auch noch: ‚Schlechtes Zeug!'"

unverschämt shameless

drücken to press

kaufen mag wants to buy

Das alte Weib nimmt den schönsten Kohlkopf[19] in die Hand, lacht böse und sagt: „Söhnchen, Söhnchen! Also gefällt° dir[14] meine lange Nase?" Dann drückt sie den Kohlkopf zusammen, wirft ihn wieder unordentlich in den Korb und sagt: „Schlechte Ware°! Schlechter Kohl!" „Schlechter Kohl, sagst du," ruft Jakob. „Dein Kopf ist nicht einmal so schön. Und dein Hals ist ja so dünn wie ein Kohlstengel°." „Gefällt dir[14] mein dünner Hals nicht?" sagt die Alte[19] und lacht sehr böse. „Sieht man ohne Hals vielleicht besser aus[3]?" Dann zeigt sie auf[2] den Kohl und sagt zu der Schuhmachersfrau. „Ich will diese sechs Kohlköpfe[19] kaufen, aber ich kann sie nicht tragen. Erlaube° deinem[14] Sohn, die Ware für mich nach Hause zu bringen. Ich gebe ihm auch etwas dafür[5]." Jakob weint, denn er will nicht mit der Alten[13] gehen, aber die Mutter setzt die Kohlköpfe in ein Tuch° und gibt sie dem Jungen[13], denn die alte Frau ist wirklich zu schwach, um[9] sie zu tragen.

gefällt dir do you like

Ware product, ware

Kohlstengel cabbage stalk

erlauben to allow

Tuch cloth

Die Alte geht sehr langsam und endlich stehen sie vor ihrem alten Haus. Sie öffnet die Tür und führt Jakob hinein[4]. Aber wie erstaunt[20] ist er, als[1] er eintritt! Er kommt in ein herrliches Zimmer; die Decke und die Wände sind aus Marmor°, der Boden aus Glas[20] und alles ist mit Gold[20] und Edelsteinen geschmückt. „Setze[6] dich[10]!" sagt die Alte recht freundlich und drückt den Jungen[13] aufs Sofa. Da kommen einige Meerschweinchen° ins Zimmer. Jakob ist erstaunt, dass[1] sie aufrecht° auf zwei Beinen gehen, Schuhe und Kleider und sogar Hüte tragen. Jakob hat

Marmor marble

Meerschweinchen guinea pig

aufrecht upright

Angst und will aus dem Haus laufen, aber die Alte sagt: „Setz dich! Bevor[1] du gehst, will ich dir noch etwas geben.“ Bald kommen viele gekleidete[19] Eichhörnchen° mit Pfannen°, Eiern, Kräutern und anderen Sachen und kochen[20] auf dem Herd eine Suppe[20]. „Wenn[1] die Suppe fertig ist,“ sagt die Alte, „sollst du sie essen, dann wirst du auch ein guter Koch°.“ Diese Worte versteht Jakob nicht. Endlich ist die Suppe fertig und die Alte bringt Jakob eine Schale° voll davon[5]. So gute Suppe hat[7] er noch nie gegessen. Aber nach dem letzten Löffelvoll[19] wird er sehr müde und kann die Augen nicht länger offen[20] halten. Bald schläft er auf dem Sofa[20] des alten Weibes fest ein[3].

Sonderbare Träume kommen über ihn: Er trägt ein Eichhörnchenfell° und kann wie ein Eichhörnchen springen und klettern°. Drei Jahre lang muss er der[14] Alten als Eichhörnchen dienen°. Im vierten Jahr, träumt er weiter, arbeitet er als Eichhörnchen in der Küche des alten Weibes. In den folgenden Jahren lernt er die feinsten Speisen° und das beste Gebäck zu machen und bald wird er ein ausgezeichneter° Koch. Als[1] er schon[12] sieben Jahre lang als Eichhörnchen der Alten dient, muss er eines Tages Kräuter für ein Essen holen. Dieses Mal findet er im Schrank ein ganz sonderbares Kräutlein[19]. Die Pflanze hat blaugrüne[19] Blätter und trägt kleine rote Blumen mit gelbem Rand°. Er riecht daran[5]; sie hat denselben starken Duft° wie die Suppe, die[11] er vor° sieben Jahren als Junge gegessen hat[7]. So stark ist der Duft, dass[1] er niesen° muss und davon[5] endlich erwacht.

Er liegt noch auf dem Sofa des alten Weibes und denkt bei[2] sich: „Wie lebhaft° können doch Träume sein. Wie wird[16] meine Mutter lachen, wenn[1] ich ihr alles erzähle.“ Glücklicherweise sieht er die Alte nicht. Er läuft aus dem Hause und will schnell zurück zum Markt. Er ist noch steif[20] vom Schlaf[19] und hat einen schweren Kopf und mit seiner Nase stösst° er an den

Eichhörnchen squirrel
Pfanne pan
Koch cook
Schale bowl
Eichhörnchenfell squirrel skin
klettern to climb
dienen to serve
Speise food
ausgezeichnet excellent
Rand edge
Duft aroma
vor ago
niesen to sneeze
lebhaft real
stossen to crash

Schrank und an die Tür. Er muss lachen, weil[1] er so schlaftrunken[19] ist. Auf dem Wege zum Markt hört er überall die Leute rufen: „Ei°, seht[6] den hässlichen Zwerg! Was für eine lange Nase er hat und wie ihm der Kopf in den Schultern° steckt! Und die hässlichen braunen Hände!" Jakob möchte[18] den Zwerg auch gerne sehen, aber er muss schnell zu seiner Mutter zurücklaufen.

Endlich kommt er zum Markt. „Meine Mutter sieht trauriger und blasser aus[3] als gewöhnlich," denkt er. Vielleicht ist sie böse auf mich, weil ich so lange weg war." „Bist du böse auf mich?" fragt er seine Mutter. Die Mutter sieht ihn und schreit vor Angst: „Was willst du von mir, hässlicher Zwerg? Fort, fort!" „Aber Mutter, warum nennst° du mich Zwerg? Ich bin dein Sohn, dein Jakob," sagt er. „Unverschämter[19]," ruft die Mutter. „Fort, du hässlicher böser Zwerg!" Jakob weiss nicht, was er denken soll, und die Tränen kommen ihm[15] in die Augen. Er hofft, dass[1] sein Vater ihm[14] helfen kann und geht zu dem Geschäft.

„Guten Abend," sagt er, „wie geht's?" „Schlecht, kleiner Herr," ruft der Schuhmacher. „Ich bin schon so alt und ich habe keinen Sohn mehr, der[11] mir[14] helfen kann." „Wo ist denn Ihr Sohn?" fragt Jakob ängstlich. „Er ist seit[12] sieben Jahren gestohlen[20]. Das war so: Ein altes hässliches Weib kommt zu meiner Frau auf den Markt und kauft so viel, dass[1] es alles selbst nicht tragen kann. Meine Frau schickt den Sohn mit[3], und seitdem° ist er verschwunden°. Die Leute sagen, dass[1] das alte Weib die böse Fee° Kräuterweis ist. So geht's in der Welt. Wollen Sie etwas von meiner Ware[20] kaufen? Vielleicht eine Hülle° für die Nase," sagt er freundlich. „Solch eine lange schreckliche Nase würde[18] wohl besser mit einer Hülle aussehen." Der Kleine[19] ist stumm° vor[2] Schrecken. Er fühlt seine Nase, sie ist dick und wohl zwei Hände lang. Darum erkennt° ihn niemand. Darum rufen ihn alle einen hässlichen

Ei Hey
Schulter shoulder
nennen to name, call
seitdem since then
ist verschwunden has disappeared
Fee fairy
Hülle cover
stumm dumb, struck silent
erkennen to recognize

Zwerg. War er wirklich sieben Jahre lang als Eichhörnchen im Dienst° der Alten? War alles kein Traum? „Meister, haben Sie einen Spiegel°?" fragt er, denn er kann es kaum glauben. „Der Barbier[20] gegenüber hat einen Spiegel," antwortet der Schuhmacher.

Jakob geht über die Strasse zu dem Barbier und alle lachen über[2] ihn, als[1] er in den Spiegel schaut. Seine Augen sind klein wie die Äuglein[19] von Schweinen, seine Nase ist riesig°, der Kopf sitzt ohne Hals zwischen den Schultern, der Körper ist kurz und breit, die Beine sind kurz und schwach und die Arme reichen bis zum Boden. Seine Hände sind gross und braun, seine Finger lang und dünn. Er denkt: „Auf dem Markt rief[8] ich der Alten böse Worte zu[3] und darum hat[7] sie mir diesen hässlichen Körper° und dieses hässliche Gesicht gegeben. Dazu hat[7] sie sieben Jahre meiner Jugend° genommen." Die Tränen kommen ihm[15] in die Augen. Da tritt der Barbier auf[2] ihn zu[3] und sagt: „Kleiner Mann, tritt[6] bei mir in den Dienst. Mit solch einem Männchen kommen mehr Leute ins Geschäft. Du musst dich nur jeden Morgen vor meiner Tür stehen und die Leute hereinbitten[19]. Ich gebe dir dafür[5] Essen, Trinken, Wohnung° und Kleider. Mein Nachbar, der Barbier Schaum, hat einen Riesen[19] und der bringt manche Leute zu ihm. Willst du mir dienen?" Jakob ist zu stolz, um[9] solche Arbeit anzunehmen. „Nein, ich habe keine Zeit," sagt er und geht hinaus[4]. Was soll er nun tun? „Ich werde[16] Arbeit in einer Küche finden," denkt er. „Der Herzog, der Herr des Landes, will die besten Speisen essen und vielleicht finde ich in seiner Küche Arbeit."

Er geht zu dem Palaste[20] des Herzogs und spricht mit dem Oberküchenmeister°. „Gnädiger Herr°," sagt der Kleine[19], „ich bin ein ausgezeichneter Koch und kann alle Speisen machen. Ich möchte[18] Ihnen[14] dienen." Der Oberküchenmeister lacht laut und sagt: „Wie, du ein Koch? Lass[6] uns zur Küche gehen. Ich

Dienst service
Spiegel mirror
riesig gigantic
Körper body
Wohnung living quarters
Oberküchenmeister head cook
gnädiger Herr kind sir

will sehen, wie[1] du des Herzogs Frühstück machst. Dänische[20] Suppe und rote Hamburger Klösschen° will er heute. Solche schwierigen° Speisen kannst du sicher nicht machen. Das Rezept[20] für die Klösschen ist auch ein Geheimnis°." „Nichts ist leichter als das," antwortet der Zwerg und kocht es ohne Schwierigkeit[19]. Als[1] die Speisen fertig sind, schmeckt sie der Obenküchenmeister und sagt: „Oh, du Wunder[20] von einem Koch. Du bist ein Meister[20] des Kochens[19]." Der Herzog merkt gleich, dass[1] das Essen besonders gut schmeckt, und nimmt den Zwerg als Koch an[3]. Da[1] jeder in seinem Palast einen Namen[20] von ihm bekommt, nennt er den Zwerg „Nase."

Klösschen patty
schwierig difficult
Geheimnis secret

Zwei Jahre lang dient der Zwerg Nase dem[14] Herzog und wird für seine Kochkunst° überall berühmt. Er versteht es auch, gute Ware[20] einzukaufen° und geht selbst so oft wie möglich auf[2] den Markt. Eines Morgens kauft er bei[2] einer Marktfrau[19] drei Gänse° und geht damit[5] nach[2] dem Palast zurück[3]. Aber dann bleibt er erschrocken stehen, denn er hört eine Gans sprechen: „Töte[6] mich nicht, sonst beiss ich dich!" Erstaunt fragt der Zwerg die Gans, woher[1] sie kommt. Sie antwortet: „Ich war Mimi, die Tochter des Zauberers° Wetterbock, aber eine böse Fee hat[7] mich in eine Gans verwandelt°." „Sei[6] ruhig, liebe Mimi," sagt der Zwerg, „niemand soll dich töten. Ich verstehe dein Unglück, denn ich war selbst ein Eichhörnchen bei einer alten Fee".

Kochkunst art of cooking
einkaufen to go shopping for
Gans goose
Zauberer magician
verwandeln in to change into

Der Zwerg bringt die Gans in einen Stall[20], bringt ihr gutes Essen und spricht täglich[19] mit ihr. Beide erzählen sich[10] ihre sonderbare Geschichte. „Ich weiss viel von Zauberei[19]," sagt die Gans, „denn mein Vater ist ein Zauberer[19] und er hat mir viel von seiner Zauberei erzählt. Von deiner Geschichte her[4] glaube ich, dass[1] du dieses fremde Kräutlein wieder finden musst, um[9] die Jungenform[19] zurückzubekommen." Zwerg Nase ist der[14] Gans sehr dankbar, denn er hat wieder etwas Hoffnung°. Aber wo kann er dieses sonderbare Kräutlein finden?

In dieser Woche kommt ein Prinz[20] auf[2] Besuch, der[11] auch einen ausgezeichneten Koch in seinem Palast hat. Der Herzog will ihm[14] zeigen, dass[1] sein Zwerg Nase ein noch besserer Koch ist als der Koch des Prinzen[13]. Vierzehn Tage lang bleibt der Prinz im Palast des Herzogs und ist ganz zufrieden° mit den Speisen. „Du hast ja einen wunderbaren[20] Koch," sagt er am Morgen des letzten Tages, „aber er backt nie die Pastete° Souzeraine." „Ah," sagt der Herzog, „er weiss, wie[1] sehr du diese Speise liebst und wartet bis zur letzten Mahlzeit°, um[9] sie zu machen. Heute abend gibt es diese wunderbare Speise." Als[1] der Zwerg Nase das hört, ist er sehr erschrocken, denn er weiss nicht, wie[1] man die Pastete macht. Er geht zur Gans Mimi und weint: „Heute abend muss ich die Pastete Souzeraine machen, aber ich weiss nicht wie. Wenn sie heute abend nicht auf dem Tisch vor dem Prinzen steht, wird Schande° über mich kommen." „Keine Tränen," sagt die Gans leise, „ich weiss ungefähr°, wie man sie macht." Sie erklärt es ihm und zum Abendessen steht die Pastete in herrlicher Form[20] auf dem Tisch vor dem Prinzen. Der Gast isst einen kleinen Löffelvoll und sagt: „Sie schmeckt aber ist nicht ganz richtig, denn das Kraut Niesmitlust fehlt°." Der Herzog ist sehr böse und ruft den Zwerg Nase zu[3]. „Das Kraut Niesmitlust fehlt in der Pastete! Ich gebe dir vierundzwanzig Stunden und wenn[1] du die Pastete diesmal nicht richtig machst, verlierst° du deinen Kopf!"

Wieder geht der Zwerg Nase zu der Gans Mimi und weint. Wieder kann die Gans ihm[14] helfen. Sie sagt: „Glücklicherweise ist es gerade Neumond° und um[2] diese Zeit blüht[20] das Kräutlein unter den Kastanienbäumen°." Am Abend suchen sie danach[5] unter den Kastanienbäumen im Garten des Palastes. Aber nach langem Suchen[19] haben sie immer noch kein Glück.

Hoffnung hope
zufrieden satisfied
Pastete pastry, pie
Mahlzeit meal
Schande shame
ungefähr approximately
fehlen to be missing
verlieren to lose
Neumond full moon
Kastanienbaum chestnut tree

Endlich ruft Mimi: „Hier ist das Kräutlein, hier wächst sehr viel davon[5], siehst du?" Die Pflanze hat blaugrüne Blätter und trägt kleine rote Blumen mit gelbem Rand und Zwerg Nase erinnert° sich plötzlich an[2] den Duft. „Gott sei Lob und Dank!" ruft er. „Ich glaube, es ist dasselbe Kraut, das[11] ich im Schrank des alten Weibes gesehen habe[7]. Der Duft hat[7] mich erst in ein Eichhörnchen und dann in einen Zwerg verwandelt." „Lass uns in dein Zimmer gehen und das Kraut versuchen," ruft Mimi aufgeregt°.

sich erinnern to remember

aufgeregt excitedly

Nach einer Weile[20] sitzen sie erwartungsvoll° im Zimmer des Zwerges. Er bringt das Kräutlein an[2] die Nase und atmet° den Duft ein[3]. Da fühlt er wie seine Nase kleiner und kleiner wird, wie der Kopf aus den Schultern kommt; seine Beine länger werden und sein Körper dünner. „Gott sei Dank!" ruft die Gans. „Wie schön du bist!" Da ist der Jakob sehr glücklich. Er nimmt die Gans unter den Arm und verlässt schnell mitten[20] in der Nacht das Palast des Herzogs. Bevor[1] er zu seinen Eltern geht, bringt er Mimi zu ihrem Vater, dem Zauberer Wetterbock. Dieser kann die Gans Mimi wieder in seine Tochter verwandeln und Jakob bekommt reiche Geschenke für seine Hilfe[20]. Damit[5] geht er zurück zu seinen Eltern und jetzt erkennen sie ihren Sohn wieder. Durch die Geschenke des Zauberers werden sie reich und leben noch lange glücklich zusammen.

erwartungsvoll full of expectation

einatmen to inhale

Für den Herzog aber ist der Tag nach dem Neumond ein Unglückstag[19], denn der Zwerg ist fort und es gibt keine Pastete. Dadurch entsteht° ein grosser Krieg° zwischen dem Herzog und dem Prinzen, der[11] in der Geschichte „Kräuterkrieg"[19] heisst. Am Ende schliessen die beiden Frieden° und setzen sich[10] zusammen an den Tisch des Prinzen. Diesen Frieden nennt man den „Pastetenfrieden", weil der Koch des Prinzen an diesem Tage die Pastete Souzeraine serviert[20] und sie dem Herzog wunderbar schmeckt.

entstehen to arise, develop

Krieg war

Frieden schliessen to make peace

Background Notes

Schildbürger

(Citizens of Schilda)

Schildbürger originally meant "citizens with a shield (*Schild*)." It is closely associated with the word *Spiessbürger* meaning "citizens with a spear (*Spiess*)." It was in a German folk book published in the sixteenth century that the word *Schildbürger* was first used in referring to citizens of the town of Schilda, the present-day town of Schildau, east of Leipzig in East Germany, first named in 1170.

The folk book, compiled by an Alsatian, was entitled *Das Lalebuch* in the first edition (1597) and *Das Schiltbürgerbuch* in the next edition, published a year later. Stories in the book depict the many foolish mistakes which the citizens made in trying to regulate their civic affairs. The stories undoubtedly originated from the ancient Greek tales of the "Abderiten," citizens of the legendary city of Abdera, well-known for their narrow-minded behavior. Wielandt wrote about these smug town-dwellers in a satirical novel entitled *Die Geschichte der Abderiten* (1774), named *The Republic of Fools* in its English translation.

The deeds of the Schildbürger became well known throughout Germany. Token paper money was printed in 1918 in the city of Beckum on the Rhein depicting their various foolish endeavors or *Narrenstreichen*. The term *Schildbürger*, and the related term *Spiessbürger* eventually became associated in Germany with provincial, unsophisticated town folk. Today many German citizens maintain that theirs is the real city of the Schildbürger. It is often said of someone who does something particularly foolish, "*Wie die Schildbürger*!" ("As the Schildbürger!").

Heinzelmännchen von Köln

(The Brownies of Cologne)

Tales of little goblins or gnomes that work and play while weary households sleep and never allow themselves to be seen by mortal eyes originated in the English and Scottish highlands in the Middle Ages. These "Brownies," as they are called in England and Scotland, were referred to in German folklore as *Kobolde*. These German household spirits are believed to be helpful, but full of pranks and tricks, and occasionally malicious.

Specific brownies or kobolds are often known by the names of Heinze, Chimmeken, or Walther. Those called Heinzelmännchen are associated with the city of Köln. A poem by August Kopisch (1836) relates the deeds they performed for the lazy citizens of the city. Numerous illustrated editions of children's books based on his poem are popular in Germany today.

A number of other kobolds have become famous in German legend. Among them are Hinzelmann, to whom a Reverend Feldmann devoted a whole volume; Hödeken, named for his hat, who terrified unfaithful wives into fidelity; King Goldemar, who slept with his master, played the harp, and caught the clergy in their secret transgressions; and Biersal, a kobold who lives down in the cellar and will clean all the jugs and bottles as long as he receives his own jug of beer daily for his trouble.

Kasperl

(Kasper)

Today in Germany when one thinks of *Kasperl*, he envisions the small, thin, merry prankster with a long nose and pointed cap. Kasperl is similar to "Punch" of the "Punch and Judy" shows so popular in England through the seventeenth, eighteenth, and nineteenth centuries. Kasperl appears on stage before almost every puppet show in Germany. His popularity in Germany is responsible for the name "Kasperl-Theater" commonly applied to German puppet theaters.

Variations of the name Kasper, Kasperl, Kasperle, are attributed to the diminutive ending "l" or "le" (corresponding to "lein") used in South German dialect. The name comes from the church plays of the tenth century which depicted the journey of the three Wise Men to Bethlehem. Kaspar, one of the three kings, was always enacted as a merry figure and came to play the leading role in later dramas both in and out of the church.

The figure of a clown or jester, referred to as *lustige Person*, *Spass-macher*, *Hanswurst*, and other names in addition to Kasperl, plays an important role in many German dramas as the speaker of the prologue or as the satirical narrator. Such a character opens Goethe's drama *Faust* (1808).

Max und Moritz

(Max and Maurice)

The infamous mischief-makers, Max and Moritz, and their sadistic pranks related in verse, are a creation of Wilhelm Busch (1832–1908). The book, *Max und Moritz*, one of Busch's earliest works, was an immediate success. It sold widely in Germany, and was quickly translated all over the world. The characters are *Notl un Motl* in Yiddish, *Coroccoco e Carracaca* in Portuguese, and *Jake un Johnny* in Pennsylvania Dutch. The first English version came out before 1870, and the scamps were immortalized in Latin translations even before *Winnie the Pooh*.

Busch also created the characters *Huckebein, der Unglücksrabe, der heilige Antonius von Padua, die fromme Helene*, and *Fips, der Affe*, among others; but nothing he did later came close to the success of *Max und Moritz*.

Busch's drawings mark him as one of Germany's greatest humoristic and satirical illustrators. He was a pioneer in the use of a series of cartoons to tell a story, and his influence on American comic strips is easily recognizable. Direct descendants of Max and Moritz are Hans and Fritz, the Katzenjammer Kids, feature characters in a popular comic strip introduced in 1897 by Rudolf Dirks, pioneer of the "slam-bang-pow" school of American funnies.

Struwwelpeter

(Shock-headed or Slovenly Peter)

Doctor Heinrich Hoffmann (1809–1894), a physician at a German lunatic asylum in Frankfurt, wanted to buy a picture book as a Christmas present for his three-year-old son, Carl. Unimpressed by moralizing stories on the market for young children, he created a book of stories in rhyme suitably illustrated and more likely to catch his son's fancy and placed it under the tree on the Christmas of 1844. The book included such characters as *böser Friedrich* (bad Fred), *der schwarze Mohr* (the black boy), *der wilde Jäger* (the wild hunter), *Suppen-Kaspar* (Soup Casper), *Daumen-Lutscher* (Thumb Sucker), and the inimitable *Struwwelpeter*. Each character suffers a severe punishment for his bad habits, which serves as a warning to all would-be offenders.

Hoffman's friends were delighted with his original book and encouraged him to have it published. The first edition of 1500 copies was published in 1845 under the title *Lustige Geschichten und drollige Bilder mit 15 schön kolorierten Tafeln für Kinder von 3–6 Jahren* (Humorous stories and funny pictures with 15 beautifully colored plates for children from 3–6 years old). The book was enthusiastically received by German parents and children alike. Later editions added the stories of *Paulinchen mit dem Feuerzeug* (Pauline with the match-box), *Zappelphilipp* (Fidgety Philipp), *Hans Guck-in-die-Luft* (Hans Stare-in-the-Air), and *Fliegender Robert* (Flying Robert). The title of the book was changed to *Struwwelpeter*, a name which children had been calling the book since its first appearance.

Das Struwwelpeter-Buch (The Struwwel Peter book) has been used for about twenty years in almost every German family to frighten children out of bad habits, such as thumb-sucking, laughing at other children, refusing to eat certain foods, and so on. It has traveled around the world in many languages and, according to his originator, reached its one hundredth edition on Struwwelpeter's thirty-first birthday. English and American editions are numerous, including a free translation by Mark Twain. In recent years psychologists have written against the method of scaring children into behaving properly, which has led to decreased popularity of the book, although it is still widely read.

Other books written and illustrated by Heinrich Hoffmann include *König Nussknacker* (King Nutcracker), *Im Himmel und auf Erden* (In heaven and on earth), and *Prinz Grünewald* (Prince Gruenewald); but none of these achieved the great popularity of Hoffmann's first *Struwwelpeter-Buch*. Hoffmann's success also inspired other German writers and artists, among them Wilhelm Busch and Karl Frohlich, and their work in turn became available to English and American children.

Daumesdick

(Thumbkin or Tom Thumb)

The Greeks had stories centering around a thumb-sized man long before the theme was introduced in Germany. The German versions, of which there are many, differ in the name they give to this tiny fellow: Daumesdick, Daumerling, Däumling. But all of these characters and their adventures are undoubtedly related.

Der kleine Däumling is the story of a thumb-sized son with seven brothers who comes into possession of seven-league boots, which take the wearer a mile in seven steps. In the separate, but similar stories of *Daumesdick* and *Daumerlings Wanderschaft*, the main character ends up in a cow's stomach. Daumerling, unlike Daumesdick, is later eaten by a fox rather than a wolf. Daumerling's father, a tailor, makes a deal with the fox to exchange a meal of hens for his son's release from the fox's throat. Another story, *Däumelinchen*, is the tale of a thumb-sized girl.

All of the above stories are contained in the books of fairy tales by the Grimm brothers. The brothers Jakob Grimm (1785–1863) and Wilhelm Grimm (1786–1859) spent many years collecting fairy tales which had been passed down through German families for generations. Many of their stories, such as *Rotkäppchen* (*Little Red Riding Hood*), *Schneewittchen* (*Snow White*), and *Aschenputtel* (*Cinderella*), are well known to children in all parts of the world.

Reineke Fuchs

(Reynard the Fox)

Reynard the fox is the cunning and malicious rogue of fables found all over the world today. In the Reynard stories, as with all fables, the main characters are animals, whose predicaments satirize human foibles and teach a practical lesson. Originally Reynard was the hero of various medieval beast epics of the tenth and eleventh centuries which arose in France. The first versions were written by clerics in Latin verse; soon after they appeared in French. The most famous version is the early French poem, *Le Roman de Renart*, recounting many adventures in which the tricky fox, instead of being punished for his misdeeds, profits by them.

The earliest German treatment is a High German poem by Heinrich der Glichesäre entitled *Vom Fuchs Reinhart* (1180), a little masterpiece of 2,000 lines freely adapted from the popular French version. Aernout and Willem wrote a Middle Dutch adaptation of the Reynard stories, *Van den Vos Reinaerde* (1250), a comic epic in which the following characters appear for the first time: Isengrim the wolf, Bruin the bear, Cuwart the hare, Tibert the cat, and Grimbart the badger. About a century later an anonymous author made revisions and additions under the title *Reinaerts Historie*, giving the beast epic its final narrative form. In this arrangement of episodes, Reynard journeys through a series of adventures and ultimately faces and survives a fight with his arch-enemy, Isengrim the wolf, by means of foul, but amusing tricks. This sequence of adventures became the source of popular fifteenth and sixteenth century prose versions, among them William Caxton's translation into English, *The History of Renard the Fox* (1479), and the famous Lübeck rhyme, *Reinke de Vos* (1498). Gottsched translated the latter into German prose and Goethe modeled his amusing and satirical epic poem, *Reineke Fuchs* (1794), after Gottsched's translation. Goethe wrote the poem partly in order to give vent to his anger against the follies and vices of the leaders and the mob of the French Revolution.

Bremer Stadtmusikanten

(Bremen Town Musicians)

Different versions of the *Bremer Stadtmusikanten* were known in Germany during the Middle Ages as far back as the thirteenth century, but its origins go back to ancient India, the cradle of many fairy tales which have spread around the world. By 91 B.C. the four characters had arrived in ancient Rome. In one version of the story from the Middle Ages the cock wanted to become Pope, and the cat wanted to have his tail gilded in Rome; in another the donkey wanted to become a choir singer in Brussels. Finally the tale reached Northern Germany. In the final version of the story as published by the brothers Grimm in 1812, the four animals became associated with Bremen, and in the course of time have become a feature of the town.

In Bremen there is a bronze figure of the town musicians on the west side of the famous *Rathaus* (town hall), and there are representations of them on a fresco in the *Ratskeller* on a fountain waterpipe, and on a stairpost across from the town hall on *Böttcherstrasse.*

Zwerg Nase

(Dwarf Long Nose)

Zwerg Nase is a famous tale written by the German author, Wilhelm Hauff. Hauff's fairy tales are as well known to children in Germanic countries as stories by his contemporaries, the Grimm brothers and Hans Christian Andersen.

At the age of twelve Hauff was already delighting his brothers, sisters and friends with wonderful tales created from his imagination. At fourteen, he had read works by Goethe and Schiller, as well as other classics, novels about robbers and knights, and trashy novels of the times. He drew from these sources, his experiences, and people from his surroundings in weaving fanciful tales of sorcerers, witches, caliphs and mighty sultans. A generally quiet and serious youth, he was encouraged by his mother to create such tales, and the art of story telling remained a great talent throughout his life.

After graduation from the University of Tübingen he accepted a post in Stuttgart as a private tutor to the children of a Minister of War, Baron von Hügel. When lessons were done, the young tutor rewarded his pupils with a story-telling hour. It was at the insistence of the children's mother that Hauff finally wrote down the stories he so loved to tell and had them published as the *Märchenalmanach* (Almanac of fairy tales) in 1826. The stories were so enthusiastically received that Hauff was acclaimed a literary great almost overnight.

He resigned his tutorship to devote himself entirely to writing. A second almanac of his fairy tales was published in 1827 and a third in 1828. Hauff died in 1827 at the age of twenty-five, having created a treasury of children's fairy tales in the last three years of his life.

Among the most famous of his fairy tales, in addition to *Zwerg Nase*, are *Der kleine Muck* (Little muck), *Der falsche Prinz* (The false prince), and *Das kalte Herz* (The cold heart). Two of Hauff's stories, *Die Karawane* (The caravan) and *Das Wirtshaus im Spessart* (The inn in the Spessart) are examples of stories which weave together separate tales. *Die Karawane* has the flavor of *Arabian Nights*, Hauff's favorite reading as a young boy, and contains the very popular tales of *Kalif Storch* (Caliph Stork) and *Das Gespensterschiff* (The Phantom Ship).

In addition to his fairy tales, Hauff wrote an historical novel as well as various sketches and lyrics. Two of the latter, *Morgenrot* and *Steh' ich in finster Mitternacht*, have become popular folk songs, known wherever German is spoken.

Grammar Notes

Key to Grammar Notes

1. Words like **dass, weil, wenn** (subordinating conjunctions)
2. Prepositions
3. Separable parts of verbs (separable prefixes)
4. **her, hin**
5. **da, wo** compounds
6. Commands (imperative)
7. **haben, sein** as helping verbs (present perfect tense)
8. **-te** ending or vowel change of verbs (past tense)
9. **um . . . zu**
10. **sich**
11. **der, die, das** (relative pronouns)
12. **seit, schon**
13. Special endings of nouns
14. Special cases of nouns
15. Special case showing possession (dative of possession)
16. **werden** with the infinitive (future tense)
17. **werden** with the past participle (passive voice)
18. **hätte, wäre, würde, möchte** (subjunctive)
19. Word families
20. Words similar to English (cognates)

---

1. Words like *dass, weil, wenn* (subordinating conjunctions).

Words such as **dass, weil, wenn, da, während, wie,** or **wo** may introduce a clause.[1] The clause is separated from the main part of the sentence by a comma and ends with a verb.

Er weiss, **dass** *es zu spät ist.* or **Dass** *es zu spät ist, weiss er.*	He knows **that** it is too late.

A **da** or **wo** compound may be used to introduce a clause.

Er bringt viel Geld, **damit** *er genug hat.*	He is bringing a lot of money **so** he will have enough.
Ich weiss nicht, **worüber** *er spricht.*	I don't know **what** he's talking **about.**

[1] A clause is a thought separate from the main part of the sentence. It has its own subject and verb and is usually set off by a comma.

2. Prepositions.

Each German preposition has many English translations, depending on the particular phrase or accompanying verb. A few of the different meanings of the German preposition **auf** appear in the following sentences.

Er ist **auf** *dem Wege.*	He is **on** the way.
Er geht **auf** *die Post.*	He goes **to** the post office.
Er ist der Feinste **auf** *der Welt.*	He is the finest **in** the world.
Er geht **auf** *die Strasse.*	He goes **into** the street.
Er geht **auf** *den Berg hinauf.*	He goes **up** the mountain.
Er bleibt **auf** *dem Schloss.*	He remains **at** the castle.
Er wartet **auf** *den Mann.*	He is waiting **for** the man.

3. Separable parts of verbs (separable prefixes).

A word which at first glance seems to be a preposition may actually be a prefix of the verb. Such a verb prefix is often separated from the main part of the verb and appears at the end of the sentence or clause.

Er **kommt** *um sechs Uhr* **an.** (*an/kommen* to arrive)	He **arrives** at six o'clock.
Er **steht** *früh* **auf.** (*auf/stehen* to get up)	He **gets up** early.

When looking up the meaning of the verb in the vocabulary, look under the verb prefix. A verb with a separable prefix is shown in the following manner.

auf/springen to jump up

herauf/steigen to climb up

4. *hin, her*

Hin indicates motion away from the speaker and **her** motion toward the speaker. The words **hin** and **her,** as well as compounds containing these words, such as **herein, herüber, hinauf,** and **hindurch,** add emphasis to the verb. They cannot always be translated into English. In many cases the compound is actually a part of the verb.

Er geht in das Zimmer **hinein.** (*hinein/gehen* to go into, to enter; *hin* indicates that the motion is away from the speaker)	He is going **into** the room.
in der ganzen Stadt **herum** (*herum* indicates movement around)	all **around** the town
den Fluss **hinauf** (*hinauf* indicates movement upwards as seen from the starting point below)	**up** the river, **up**stream

5. *da, wo* compounds.

A preposition with **da** or **wo** may take the place of a prepositional phrase. **Da** (or **dar**) is translated "it" or "them." **Wo** (or **wor**) is translated "what."

da*mit*	with **it,** with **them**
dar*über*	above **it,** above **them**
wo*mit*	with **what**
wor*über*	above **what**

When a **da** or **wo** compound introduces a clause, its meaning may differ from the above examples (see note 1).

6. Commands (imperative).

A command is followed by an exclamation point. The command form of the verb appears in one of three forms, depending upon whether the command is directed to one or more persons and whether the command is casual or formal. The three command forms of **kommen,** all translated "Come!" appear below.

Komm! or *Komm***e***!*	(casual, to one person)
*Komm***t***!*	(casual, to more than one person)
*Komm***en Sie***!*	(formal, to one or more persons)

Some verbs have a vowel change in the casual command directed to one person, such as **Gib**! (from **geben**) and **Sieh**! (from **sehen**).

7. *haben, sein* as helping verbs (present perfect tense).

A form of **haben** or **sein** is often used as a helping verb and indicates an action in the past. The main verb is found at the end of the sentence or clause in a form called the past participle. The past participle is recognizable by one or more of the following characteristics.

-t or *-en* ending	*besuch***t**	from *besuchen*, to visit
ge- prefix	**ge***kommen*	from *kommen*, to come
	ge*wesen*	from *sein*, to be
	*auf***ge***schnitten*[2]	from *auf/schneiden*, to cut open
vowel change	*bef***o***hlen*	from *befehlen*, to command

The helping verb may be translated "has" or "have" or the whole construction may simply be translated with the past tense of the verb.

er hat ... besucht	he has visited, he visited
er ist ... gekommen	he has come, he came
er ist ... gewesen	he has been, he was
er hat ... aufgeschnitten	he has cut open, he cut open
er hat ... befohlen	he has commanded, he commanded

8. *-te* ending or vowel change of verbs (past tense).

The addition of a **-te** or **-ete** to the root of a verb, or a vowel change in the verb, often indicates an action in the past. The most common verbs in the past are **hatte** (had) and **war** (was).

er besuchte	he visited	*er wurde*	he became
er kam	he came	*er wollte*	he wanted
er fand	he found	*er konnte*	he could, was able

The endings will not necessarily be the same as the endings found in the present tense.

besuchen

present	*er besuch***t**	he is visiting, visits, does visit
past	*er besuch***te**	he was visiting, visited, did visit

[2] With separable prefixes, *ge* appears between the separable prefix and the main stem of the verb.

kommen

present	*er komm***t**	he is coming, comes, does come
past	*er kam*	he was coming, came, did come

9. *um . . . zu.*

In addition to its use as a preposition, **um** may be translated "in order to" and may introduce a phrase.[3] The accompanying verb appears in the infinitive form (the basic -en form) preceded by the word **zu.**

Er kommt, **um** *die Familie* **zu sehen.**	He is coming **in order to see** the family.

With separable prefixes, **zu** appears between the separable prefix and the main stem of the verb.

Er spricht laut, **um** *seinen Bruder auf***zu***wachen.*	He speaks loudly **in order to** wake up his brother.

10. *sich*

The word **sich** may be translated "himself," "herself," "itself," "themselves," "yourself," "yourselves," or "each other," depending on the subject, but it often cannot be translated into English at all. Certain verbs in German (reflexive verbs) must always appear with a form of **sich,** such as the verb **freuen.**

Er freut **sich.**	He is pleased.
(*sich freuen*	to be pleased or glad)

Other forms of **sich** are:

mich, mir	(when the subject is *ich*) myself
dich, dir	(when the subject is *du*) yourself
uns	(when the subject is *wir*) ourselves
euch	(when the subject is *ihr*) yourselves

[3] A phrase is a thought separated from the main part of the sentence; but unlike a clause, it does not have its own subject and verb.

Some verbs appear with a form of **sich** when a person is doing something to or for himself, such as combing his own hair or sitting (himself) down.

Er setzt **sich** *auf den Stuhl.*	He sits **(himself)** down on the chair.

11. *der, die, das* (relative pronouns).

In addition to their use as articles meaning "the," forms of **der, die,** and **das** may be used to introduce a clause. Possible translations are "who," "whom," "to whom," "which," or "the one." When used in this way, the form of **der, die,** or **das** refers to a noun in the preceding part of the sentence and has the same gender (masculine, feminine, or neuter). Its case (nominative, dative, or accusative) indicates its use in the clause.

Er ist der Junge, **der** *Karin liebt.*	He is the boy **who** loves Karen.
(refers to *Junge*, used as subject)	
Er ist der Junge, **den** *Karin liebt.*	He is the boy **whom** Karen loves.
(refers to *Junge*, used as direct object)	
Er ist der Junge, mit **dem** *Karin lernt.*	He is the boy with **whom** Karen studies.
(refers to *Junge*, used as object of the preposition *mit*).	

12. *seit, schon.*

The words **seit** or **schon** used with a verb in the present tense indicate something that happened in the past and has not changed. In such a usage, **seit** or **schon** is translated "for" or "since."

Seit *drei Tagen* **ist** *er hier.* or *Er* **ist schon** *drei Tagen hier.* or **Seit** *drei Tagen* **ist** *er* **schon** *hier.*	He **has been** here **for** three days.
Seit *Dezember* **ist** *er hier.*	He **has been** here **since** December.

13. Special endings of nouns.

A number of nouns appear to have plural endings and a singular article (for example, **dem Jungen**). Certain masculine and neuter nouns require an **-n** or **-en** ending in the singular when they are not used as the subject of the sentence.

*Er kommt mit dem Junge*n.	He comes with the boy.

Masculine and neuter nouns of one syllable often take an optional **-e** ending in the dative case.

*Er sitzt im Haus***e.**	He is sitting in the house.

14. Special cases of nouns.

Certain verbs and phrases require the noun or pronoun to be in a case which is not in accord with the familiar rules. The reader may, for example, expect the direct object to be in the accusative case and find that it is in the dative case. Certain verbs, such as **folgen**, require the direct object to be in the dative rather than the accusative case.

Sie folgt **dem Mann.**	She is following the man.
Sie folgt **ihm.**	She is following him.

Certain German phrases require a construction quite different from the English.

Es ist mir kalt.	I am cold. (It is cold to me.)

15. Special case showing possession (dative of possession).

With parts of the body and clothing, the dative case is commonly used to indicate possession.

Der Barbier schneidet **dem Mann** *die Haare.*	The barber is cutting **the man's** hair.
Der Friseur schneidet **ihr** *die Haare.* }	The hair dresser is cutting **her** hair.

16. *werden* with the infinitive (future tense).

In addition to its use as a verb meaning "to become," **werden** may occur as a helping verb with the main verb in the infinitive form (the basic

-en form) at the end of the sentence. This construction indicates an action in the future and is translated into English with the helping verb "will."

Er **wird** *uns morgen* **besuchen.**	He **will visit** us tomorrow.
Er **wird** *im Juli* **kommen.**	He **will come** in July.
Er **wird** *das Buch* **finden.**	He **will find** the book.

17. *werden* with the past participle (passive voice).

A form of **werden** may occur as a helping verb with the main verb in the past participle form (see note 7) at the end of the sentence. This construction indicates that the action is happening to the subject.

Er **wird** *heute* **besucht.**	He **is being visited** today.
Es **wird** *im Keller* **gefunden.**	It **is found** in the cellar.

18. *hätte, ware, würde, möchte* (subjunctive).

The verb forms above are derived from the verbs **haben, sein, werden,** and **mögen.** Appearing in this form, they indicate probability or possibility. The helping verb "would" or "could" is often used in the translation.

Hatte and **wäre** appear alone or with the past participle form (see note 7)of the verb.

Wenn er nur das Buch **hätte.**	If he only **had** the book!
Wenn er nur hier **wäre.**	If only he **were** here!
Es **wäre** *schön.*	It **would be** nice.
Er **hätte** *das Buch* **gefunden.**	He **would have found** the book.
Er **wäre** *nie* **gekommen.**	He never **would have come.**

Würde and **möchte** usually appear with the infinitive form of the verb.

Er **würde** *es* **finden.**	He **would find** it.
Er **möchte** *uns* **besuchen.**	He **would like to visit** us.

19. Word families.

The way to determine the meaning of new words without depending on a dictionary requires two skills: first, recognizing familiar stems and words within words, and second, understanding the affects of slight modifications, such as a **-d** ending on the infinitive.

	gehen to go	
-d on infinitive (*-ing*)	*gehend*	walking, going (adjective)
ge- form (past participle)	*gegangen*	gone
prefix *vor (in front)*	*vorgehen*	to go ahead, proceed
prefix *ver (away)*	*vergehen*	to vanish (go away)
das plus infinitive (*-ing)*	*das Gehen*	walking (noun)
zum plus infinitive *(for -ing)*	*zum Gehen*	for walking
related word	*der Gang*	the walk, course
bar (capability)	*gehbar*	passable (for pedestrians)
Fuss (foot)	*der Fussgänger*	pedestrian
Weg (way, road)	*der Gehweg*	foot path, sidewalk

	alt old	
ä plus *-er* (comparative)	*älter*	older
ä plus *-est* (superlative)	*ältest*	oldest
am plus *ä* and *-esten (the -est)*	*am ältesten*	the oldest
ein plus *-er (a person)*	*ein Alter*	an old person
der plus *-e (the one, male)*	*der Alte*	the old man
die plus *-e (the one, female)*	*die Alte*	the old lady
etwas plus *-es (something)*	*etwas Altes*	something old
infinitive ending (verb)	*altern*	to grow old
prefix *ur (very)*	*uralt*	very old, ancient
Mode (fashion)	*altmodisch*	old-fashioned
das (general term)	*das Alter*	the age
tum (state of being)	*das Altertum*	antiquity
Heim (home)	*der Altersheim*	old people's home
Stoff (stuff)	*der Altstoff*	scrap, used material

20. Words similar to English (cognates).

Many German words look or sound like English words and have similar meanings.

Haus	house	*Russisch*	Russian
kommen	come	*dick*	thick
kühl	cool	*Nord*	north
ist	is	*Dänemark*	Denmark

Vocabulary

A

ab/rasieren to shave off
acht/geben t● watch out, pay attention
  Gib acht! Watch out!
das Abendessen supper
ab/nehmen to take off
Ach! Oh!
achtjährig eight year old
der Affe monkey
alle all
allein alone
allerlei all kinds of
allerschönst most beautiful of all
alles everything
als when, as
alt old
  älter older
die Alte old lady
an/fangen to begin
die Angst fear
ängstlich anxiously
an/nehmen accept, take up
antworten to answer
die Antwort answer
  Antwort auf answer to
an/zünden to light
die Aprikose apricot
die Arbeit work
  an die Arbeit gehen to go to work
der Arbeiter worker, laborer
ärgerlich angry, angrily
ärgern to anger, irritate
arm poor
atlantisch Atlantic
atmen to breathe
auch wenn even though
auf/fressen to eat up
auf/führen to perform (a play)
auf/geben to surrender, give up
auf/hängen to hang up
  aufgehängt hung up
auf/gehen to open, go up
aufgeregt excitedly
auf/passen to watch out
  auf/passen auf to watch out for
aufrecht upright
auf/schneiden to cut open
auf/stehen to stand up, get up
auf/wachen to wake up
auf/wecken to wake up
das Auge eye
der Augenblick moment
das Äuglein small eye
ausgezeichnet excellent
aus/machen to turn off
aus/sehen to seem, appear

B

backen to bake
der Bäcker baker
baden to bathe
bald soon
der Bär bear
der Barbier barber
bauen to build, construct
der Bauer farmer
das Bauernhaus farmhouse
der Bauernhof barnyard
der Baumstamm tree trunk
beantworten to answer, reply
beenden to finish, end
der Befehl command, order
befreien to free, liberate
begrüssen to greet, welcome
behalten to keep
behexen to bewitch, hex
  behext hexed
bei with, at
  bei der Arbeit at work
  bei sich with him, with them
  bei uns at our house
beide both
die beiden both of them
das Bein leg
beissen to bite
das Bild picture

beklagen to complain
bekommen to get, receive
beliebt popular
bellen to bark
sich benehmen to act, behave
bereit ready, prepared
beriechen to smell, sniff at
beruhigen to quiet, calm, reassure
  beruhigt quieted, calmed
berühmt famous
beschreiben to describe
besonders especially
bestimmt certainly, definitely
besuchen to visit
der Besuch visit
  auf Besuch for a visit
die Bettdecke bedspread
bezahlen to pay
binden to tie, bind
die Birne pear
bis until
bitte please
bitten to ask
  bitten um to ask for
blass pale
  blasser paler
das Blatt leaf
blaugrün sea green
bleiben to remain
  ohne zu bleiben without remaining
blühen to bloom, flower
die Blume flower
bluten to bleed
  blutend bleeding
der Boden ground, soil; floor
böse angry, evil
  böse auf mad at, angry with
die Bösen evil ones
brauchen to need
breit wide, broad
Bremen city in northern Germany
  Bremer of Bremen
bringen to bring
das Brot bread
der Bub rascal, boy
das Bündel bundle, parcel
bunt many-colored, colorful
die Burg castle, fortress
der Bürger citizen
der Bürgermeister mayor

C

das Christkind Christ Child

D

da there, since, then
dabei at it
das Dach roof
die Dachkammer attic
der Dachs badger
da drüben over there
dadurch by which, by this means; through it
damit so that; with it
danach right after that
der Dank thanks
  Gott sei Lob und Dank! Thanks be to God!
dankbar grateful, thankful
danke thanks, thank you
danken to thank
darauf after that; on it
darum therefore
da/stehen to be there, stand there
der Daumen thumb
dazu in addition to
die Decke ceiling; cover; blanket
decken to cover
denken to think
  bei sich denken to think to oneself
das Denkmal memorial, statue
der the; he; who, which
derselbe, dasselbe, demselben, denselben the same
dessen whose
dick fat, thick
der Dieb thief
dienen to serve
der Diener servant
der Dienst service, duty
dies this

doch indeed, still
dort there
draussen outside
dritt third
drücken to press, squeeze
der Duft odor, aroma
die Dummheit stupidity, nonsense
dunkel dark
  das Dunkel darkness
dunkelbraun dark brown
dünn thin
durch/dringen to penetrate
dürfen (darf) to be permitted, be allowed, may

E

echt real, true, genuine
die Ecke corner
  um die Ecke around the corner
der Edelstein precious stone
die Ehre honor, reputation
Ei! Hey!
das Ei egg
das Eichhörnchen squirrel
das Eichhörnchenfell squirrel skin
einander each other
einatmen to inhale
einfach simple
einige some, any
  nach einiger Zeit after a while
ein/kaufen to shop, go shopping for
einmal once
  auf einmal suddenly
  nicht einmal not even
  noch einmal once more
ein/schlafen to fall asleep
ein/schmieren to smear on
ein/treten enter, go in
der Eisenstab iron bar
die Eltern parents
endlich finally
eng narrow
die Ente duck
entstehen to develop, arise
die Erbse pea
die Erde earth, ground
erfahren to learn; experience
ergeben to produce
ergreifen to seize, grasp, grab
sich erinnern an to remember
erkennen to recognize
erklären to explain
erlauben to allow, permit
ernennen to appoint, name
erreichen to reach, attain
sich erschrecken to be frightened, be startled, be scared
erschrecken to shock, scare, startle
  erschreckt shocked, scared
  erschrocken frightened, scared
erst first; only; not until
  erstens in the first place
erstaunen to astonish, surprise
  erstaunt astonished, amazed
ertrinken to drown
erwachen to awaken
  ohne zu erwachen without awakening
erwarten to await
  erwartungsvoll full of expectation
erwecken to awaken
erzählen to tell, relate
der Esel donkey, jackass
das Essen food, meal
etwas something
euch you

F

der Faden thread
fahren to drive, travel, go
die Falle trap, snare
fallen to fall
falsch false, incorrect, wrong
faul lazy
der Faulpelz lazybones
die Feder feather; pen
fehlen to be gone, be absent; be missing, be lacking

feiern to celebrate
fein fine, small
feinst finest
das Feld field, plain
das Fenster window
das Fensterbrett windowsill
fertig finished
fest fast, tightly
das Fest feast; festival
feucht damp
feuerrot red as fire
die Figur figure
der Fisch fish
der Fischhändler fishmonger
das Fischlein little fish
fleissig busy, industrious
fliegen to fly
fliehen to flee
fliessen to flow
der Fluss river
flüstern to whisper
folgen to follow; obey
folgend next, following
fort away
fort/fahren to continue; drive away
fragen to ask
frei free
fremd strange
fressen to eat, gobble up (said of animals)
sich freuen to be happy, be glad
der Freund friend
freundlich friendly
der Friede peace
frisch fresh, refreshing
froh happy
fröhlich cheerful, happy
früh early
der Frühling spring
das Frühstück breakfast
der Fuchs fox
die Füchsin female fox, vixen
der Fuchspelz fox pelt
fühlen to feel
führen to lead
füllen to fill up
fürchterlich frightful, horrible, scarey
der Fussboden floor
das Futter feed, fodder

G

die Gabel fork; pitchfork
gackeln, -ern to cackle, cluck
die Gans goose
der Gänsehirt gooseherd
ganz completely, entirely
gar nicht not at all
garstig disgusting, filthy
der Gärtner gardener
der Gast guest, visitor
das Gebäck pastry, sweets
das Gebäude building
geben to give
es gibt there is; there are
es gab there was; there were
gebracht brought (from *bringen*)
gefallen to please
es gefällt mir I like it (it is pleasing to me)
das Gefängnis jail
gegenüber opposite, across the way
geheim secret
das Geheimnis secret
gehen to go
so geht's that's the way it is
gehören to belong
der Geigenspieler violinist, fiddler
der Geist spirit, ghost
gekleidet clothed
gelb yellow
das Geld money
gelingen to succeed
das Gemüse vegetables
gemütlich comfortable, cozy
die Generation generation
genug enough
gerade right, just; directly, straight
gern(e) gladly
gern haben to like
das Geschäft store, business

geschehen to happen
was ihm geschehen ist what happened to him
das Geschenk present, gift
die Geschichte story, tale; history
geschmückt decorated, adorned
das Gesicht face
Gesicht schneiden to make a face
Gesicht wie drei Tage Regenwetter sad face
gestohlen stolen (from *stehlen*)
gewöhnlich usual, ordinary
glauben to believe
gleich immediately; same
das Glück fortune, luck
zum Glück fortunately
glücklich lucky, fortunately; happy
glücklicherweise fortunately
gnädig kind, gracious
gnädiger Herr dear sir, kind sir
der Gott God
Gott sei Dank! Thank heavens!
Gott sei Lob und Dank! Praise be to God!
das Grab grave, tomb
der Graf count
gucken to look
Guck-in-die-Luft Look-in-the-Air

H

hacken to chop
der Hahn rooster
halbtot almost dead, half dead
der Hals neck, throat
halten to hold
Sitzung halten hold a meeting
die Hand hand
der Hase hare
hässlich ugly
die Haut skin, hide
das Heim home
die Heimat home; homeland; hometown
heim/gehen to go home
heiss hot
helfen to help
der Helfer helper, assistant
hell bright
heller brighter
her here, this way (toward the speaker)
heraus out from within
herbei along with
der Herd stove
herein/bitten to ask in
der Herr mister; master
herrlich splendid, glorious
herum/springen to jump around
hervor/kommen to come forward
das Herz heart
herzlich hearty, sincere
der Herzog duke
das Heu hay
heute today
heute abend this evening
heute nacht tonight
die Hexe witch
die Hilfe help, aid
der Himmel heaven; sky
Du Himmel! Good heavens!
hin und her back and forth
das Hinterteil hind part
hoch high
hoh high
der Hof yard
hoffen to hope
die Hoffnung hope
die Höhe height; top; sky
die Höhle cave
holen to fetch, get
das Holz wood
hölzern wooden
die Holzfigur wood figure
das Holzhacken wood cutting
der Holzschnitzer wood-carver
der Honig honey
das Honigessen act of eating honey

hören to hear
hübsch pretty, beautiful
das Huhn hen, chicken
die Hülle cover, covering
der Hunger hunger, appetite
  Hunger haben to be hungry
hungrig hungry

I

die Idee idea
ihnen them
Ihnen you
die Insel island
interessiert interested
sich interessieren an to be interested in
inzwischen in the meantime

J

ja yes; indeed
  Jawohl! Yes indeed!
die Jacke jacket, jersey
die Jagd hunt, chase
der Jagdhund hunting dog
jagen to chase, pursue
  zum Jagen for hunting
das Jahr year
  von sieben Jahren seven years old
jeder each one, everyone
jemand somebody, someone
jetzt now
die Jugend youth
der Junge boy
die Jungenform boy's form
der Junker squire, young nobleman

K

der Käfer bug
der Käfig cage
der Kamm comb
kämmen to comb
die Kammer room
der Kampf battle
  Kampf am Leben und Tod battle to the end
kämpfen to fight
der Kampfring battle ground, fighting ring
kaputt machen to ruin, wreck
der Kastanienbaum chestnut tree
der Kater tomcat
kaufen to buy
kaum hardly
  kaum noch just a moment ago
der Keil wedge
Kikeriki! Cock-a-doodle-do!
die Kirche church
das Kissen pillow
die Kiste box, chest
die Klage complaint
die Kleider clothes
klettern to climb
die Klingel small bell, handbell
klingen to sound
das Klösschen patty
klug smart
  klüger smarter
  am klügsten smartest
der Koch cook
kochen to cook
das Kochen cooking
die Kochkunst art of cooking
der Kohl cabbage
die Kohle coal
der Kohlstengel cabbage stalk, cabbage stem
Köln Cologne (city on the Rhine river)
  Kölner of Cologne, people of Cologne
der König king
die Königsfamilie royal family
können (kann) to be able, can
der Kopf head
der Korb basket
das Korn grain, corn
der Körper body
kostbar precious, valuable
krabbeln to crawl, creep

krähen to crow
kratzen to scratch
das Kraut plant, herb
das Kreuz cross
  über Kreuz crosswise, in a cross
der Krieg war
die Küche kitchen
die Kuh cow
kurz short
küssen to kiss

L

lachen to laugh
  lachen über to laugh at
lang long
langsam slow, slowly
der Lärm noise
lassen to let, allow; leave; have something done
  lässt ihn kommen has him come, sends for him
  lässt sie werfen has them thrown
laufen to run
leben to live
das Leben life
lebendig living, alive
lebhaft real
das Leder leather
leer empty
legen to lay, set down
lehren to teach
leicht light; easy
leider unfortunately
leise soft, softly
letzt last
die Leute people
das Licht light, lamp
lieb dear, lovable
  Lieber Gott! Dear God!
lieben to love
links left
loben to praise
das Loch hole
der Löffel spoon
los wrong, the matter
der Löwe lion
die Luft air
die Lüge lie, falsehood
lustig merry

M

machen to do; make; have
der Magen stomach
die Magenschmerzen stomach ache
mahlen to grind
die Mahlzeit meal, mealtime
der Maikäfer june bug
das Mal time, occasion
  dieses Mal this time
man one; they; people; you
manchmal sometimes
das Männlein little fellow
das Märchen fairy tale
der Markt market; marketplace
der Marktplatz marketplace
der Marmor marble
die Mauer wall; battlement
das Maul mouth (of an animal)
der Mäusefänger mouse catcher
das Mäuseloch mouse hole
das Meer sea
  atlantischer Meer Atlantic Ocean
das Meerschweinchen guinea-pig
mehr more
mehrere several
der Meister master
der Mensch man, human being
merken to notice
der Metzger butcher
mit/nehmen to take along
mitsamt together with
der Mittag noon
das Mittagessen lunch
die Mitte middle
mitten middle
  mitten in in the middle of
die Mitternacht midnight
  um Mitternacht at midnight

mögen (mag) to like, may (possibility)
  möchten would like
möglich possible
der Morgen morning
  eines Morgens one morning
morgens every morning
müde tired
die Mühle mill
der Mund mouth
die Musik music
der Musikant musician
müssen (muss) must, to have to
die Mütze cap

N

der Nachbar neighbor
die Nachricht report
nach/suchen to look for
die Nacht night
  zur Nacht at night
der Nagel nail
nah(e) near
  nahe an near to
  näher nearer
  am nächsten nearest
die Nähe vicinity
nähen to sew
der Narr fool, clown
nass wet
natürlich of course, naturally
nehmen to take
nennen to name, call
neu new, fresh
der Neumond new moon
nicht not
nichts nothing
nie never
nieder down
niemand no one, nobody
niesen to sneeze
noch still, yet
nun now, at present; well
nur only

O

ob if, whether
oben above, on top
der Oberküchenmeister chief chef, head cook
das Obst fruit
obwohl although
öffnen to open
oft often, frequently
ohne without
  ohne . . . zu without . . . ing
das Ohr ear
das Öl oil
die Ordnung order

P

passen to suit; fit; pass
die Pfanne frying pan
der Pfarrer clergyman, pastor
das Pferd horse
pflanzen to plant
Pfui! Phooey!
das Piepsen peeping
die Pilgerfahrt pilgrimage
der Platz place, square
plötzlich suddenly
der Prinz prince
Protzendorf name of a German town
pünktlich punctual, on time
das Puppenspiel puppet show
das Puppentheater puppet theater

R

der Rand edge
der Rat advice
das Rathaus town hall
reden to speak, talk
recht haben to be right
  du hast recht you are right
  er hat recht he is right
regieren to rule
reich rich
reichen to reach; pass
die Reise journey
religiös religious
das Rezept recipe
der Richter judge

richtig right, correct
riechen to smell
der Riese giant
riesig gigantic
der Rock coat
die Rückkehr return trip
rufen to call
ruhig quiet, silent
die Rute rod, switch

S

die Sache thing; matter
der Sack sack, bag
säen to sow
die Säge saw
sägen to saw
sammeln to collect, gather
der Sänger singer
satt full
der Satz sentence
schade a pity, too bad
der Schafbock ram
die Schale bowl
die Schande shame
scharf sharp
die Schatzkammer treasure room
schauen auf to look at
die Schere scissors
die Scheune barn
schicken to send
schieben shove, push
Schilda name of a German town
schlachten to butcher, slaughter
der Schlaf sleep
der Schlafanzug pajamas
schlafen to sleep
der Schlafplatz place to sleep
schlaftrunken very drowsy
schlagen to beat, strike
  zum Schlagen for beating
schlecht bad
schleichen to sneak, creep
schliessen to close
das Schlimmste the worst thing
die Schlinge noose
das Schloss castle
schmecken to taste
der Schmerz pain
das Schneckenhaus snail shell
schneiden to cut
  Gesichter schneiden to make funny faces
der Schneider tailor
schnell fast
schnitzen to carve, cut
das Schnitzmesser wood-carving tool
schon already
schön beautiful
Schonau name of a German town
der Schrank closet, wardrobe, cupboard
der Schreck shock, fear
  Ach du Schreck! Good grief!
  vor Schreck from fear, from shock
der Schrecken fright, terror
  vor Schrecken from fear
schrecklich shocking, terrible
schreien to cry, scream
der Schuhmacher shoemaker
das Schulbuch school book
die Schulter shoulder
schwach weak
  schwächer weaker
  am schwächsten weakest
das Schwein pig
schwer with difficulty; heavy
die Schwierigkeit difficulty
schwören to swear
sehr very
seid are
sein to be
seitdem since then
die Seite side; page
selber, selbst himself, by himself
servieren to serve
sicher certain, positive
sie she; they; it; them; her
Sie you
der Sieg victory
der Sieger victor, winner
die Sitzung meeting
sogenannt so-called

sohlen to sole (a shoe)
der Sohn son
solch ein such a
sollen (soll) to be supposed to, should
sonderbar strange, unusual
sondern but, on the contrary
das Sonnenlicht sunlight
der Sonnenstrahl sunbeam
der Sonntagsbraten Sunday roast
sonst otherwise
Souzeraine name of a French pastry
der Spalt crack
Spass machen to be fun
spät late
  später later
  am spätesten latest
der Spaziergang walk
die Speise food
der Spiegel mirror
das Spiel game
der Spinnefinger spidery finger
spitz sharp, pointed
sprechen to speak
  sprechen von to speak of, speak about
springen to jump
die Stadt city, town
der Stadtmusikant town musician
stark heavy; strong
stecken to stick, place
stehen/bleiben to remain standing
stehlen to steal
steif stiff, rigid
der Stein stone
stellen to put, place
sterben to die
die Stimme voice
der Stock cane, stick
das Stöhnen groaning
stolpern to stumble
der Strand beach
der Streich trick, prank
  einen Streich spielen to play a joke
die Strasse street
streuen to scatter, strew
das Stroh straw
der Struwwelpeter slovenly Peter
das Stück piece, part, section
stumm dumb, silent
die Stunde hour
stolz proud
stossen to push, shove
  stossen an to thrust against
die Strasse street
  über die Strasse across the street
die Suche search
suchen to seek, search
  suchen nach to look for
die Suppe soup
Suppen-Kaspar Soup-Kaspar

T

der Tag day
  eines Tages one day
täglich daily
die Tasche pocket; purse
die Tasse cup
teuer expensive; dear
tief deep
das Tier animal
der Tisch table
der Tod death
tot dead
töten to kill
tragen to carry; wear
die Träne teardrop
der Traum dream
träumen to dream
traurig sad
treffen to meet; hit, strike
die Treppe stairs, staircase
treten to walk, step, enter
treu faithful, true
trinken to drink
der Tritt step; kick
trotzdem in spite of that
das Tuch cloth
tun to do

das Türlein small door
die Tüte paper bag

U

überall everywhere
über/bringen to bring, deliver
sich überlegen to think over
die Uhr clock, watch
um around
  um . . . zu in order to
umher about, around
ungefähr approximately
das Ungeheuer monster
unglaublich unbelievable, unbelievably
das Unglück misfortune
der Unglückstag fatal day, unfortunate day
unordentlich carelessly, disorderly
die Unordnung disorder
uns us
der Unsinn nonsense
unternehmen to undertake
unverschämt shameless
der Urenkel great-grandson

V

verbringen to spend (time)
verdienen to earn; deserve
vergeben to forgive, pardon
vergessen to forget
verjagen to chase away, scare away
verkaufen to sell
verlassen to leave
verlieren to lose
verschwinden to disappear
  ist verschwunden has disappeared
versprechen to promise
verstecken to hide
versuchen to try
verurteilen to sentence
verwandeln to change
  verwandeln in to change into
viele many
vielleicht perhaps
der Vogel bird
voll full
vor ago (with time)
vorbei/kommen to come by, pass
vor/lesen to read aloud
vor/stellen to introduce

W

wachsen to grow
während while, during
wahrscheinlich probably
der Wald wood, forest
das Waldhäuschen cabin in the woods
die Wand wall
wandern to wander, travel
das Wandern wandering, traveling
die Wange cheek
die Ware article, product
warten to wait
  warten auf to wait for
was what, whatever; which
  was für what kind of
  was sonst what else
wecken to awaken
weder neither
  weder . . . noch neither . . . nor
der Weg way, road
wegen because of, on account of
Weh! Oh my!, Too bad!
  weh tun to hurt
das Weib woman; wife
weich soft, gentle
die Weihnachtszeit Christmastime
weil because, since
die Weile while (space of time)
  nach einer Weile after a little while
weinen to cry, whine
der Weise wise man, sage

weit far
weiter further
und so weiter and so forth
weiter . . . nichts nothing . . . else
die Welt world, earth
wen whom
wenig few
wenn if, when
auch wenn even though, even if
wer who
werden to become
werfen to throw
das Werk work, undertaking
wichtig important
wie how
so . . . wie as . . . as
wieder again
wieder/sehen to see again
winzig tiny
wirklich really, actually
wissen (weiss) to know
die Witwe widow
der Witz joke
die Woche week
woher from where
wohin to where
wohnen to live, dwell
die Wohnung place to live
die Wolke cloud
wollen (will) to want to
worin in which
das Wort word
wozu why, for what reason
die Wunde wound
das Wunder wonder, miracle
Kein Wunder! No wonder!
wunderbar amazing, wonderful
der Wunsch wish, desire
wünschen to wish

Z

zählen to count
der Zahn tooth
die Zauberei magic, sorcery
der Zauberer magician
der Zaun fence
zeigen to show
zeigen auf to point to
die Zeit time
die Zeitung newspaper
das Zeug stuff, material
der Ziegenhirt goatherd
ziehen to pull
das Zimmer room
zuerst at first
zu/flüstern to whisper to
zufrieden satisfied
zu/hören to listen to
zu/reichen to hand to
zurück back (verb prefix)
zu/rufen to call to, call upon, shout at
zusammen together
zusammen/binden to tie together
zusammengebunden bound together
der Zweig branch, twig
zweimal twice
zweitens in the second place
der Zwerg dwarf
zwischen between

NTC GERMAN READING MATERIALS

Graded Readers and Audiocassettes
Beginner's German Reader
Lustige Dialoge
Lustige Geschichten
Spannende Geschichten

Humor in German
German à la Cartoon
Das Max und Moritz Buch

German Folklore and Tales
Von Weisen und Narren
Von Helden und Schelmen
Münchhausen Ohnegleichen
Es war einmal

Jochen und seine Bande Series
Abenteur in Hinterwalden
Mit Thespis zum Süden

Comic Mysteries
Die Jagd nach dem Familienerbe
Das Geheimnis im Elbtunnel
Hoch in den Alpen
Innsbrucker Skiabenteuer

Plays and Comedies
Zwei Komödien
Ein Hotel namens Europa
Gehen wir ins Theater!

Real-Life Readings
Perspektive aus Deutschland
Deutsches Allerlei
Direct from Germany

Contemporary Life and Culture
Im Brennpunkt: Deutschland
Unterredungen aus Deutschland
Briefe aus Deutschland
Briefe über den Ozean
Kulturelle Begegnungen
Amerikaner aus Deutschland

Contemporary Culture—in Engli
German Sign Language
Life in a West German Town
Life in an Austrian Town
Focus on Europe Series
- Germany: Its People and Culture
- Switzerland: Its People and Cultu
- Austria: Its People and Culture

Let's Learn about Germany
Getting to Know Germany
Weihnacht
Christmas in Germany

For further information or a current catalog, write:
National Textbook Company
a division of *NTC Publishing Group*
4255 West Touhy Avenue
Lincolnwood, Illinois 60646-1975 U.S.A.